厳選

ロシア語

日常単語

JN051864

はじめに

『厳選 ロシア語日常単語』は，日常生活で頻繁に使われるロシア語単語を収録しています。厳選されたこの 1,000 語は，ロシア語でコミュニケーションを図るうえで必要不可欠な単語ばかりです。はじめてロシア語に触れる方，ロシア語の語彙を増やしたい初〜中級の方に最適な一冊となっています。

ロシア語はスラヴ系言語で，ロシアのほか各国で公用語として使用されています。また，世界中のさまざまな分野，場面でも多く使用されています。文法や発音の面で日本語と異なる要素が多いため，日本人学習者にとっては，ハードルが高いと感じる場面があるかもしれません。効果的・効率的に語彙を増やす工夫が加えられている本書を活用して，楽しみながら学習を進めていくとよいでしょう。

単語学習は反復と継続が重要です。1 日 1 ページずつでもかまわないので，少しずつ，繰り返すことを心がけてください。右ページ上の日付欄から，進捗度をパーセンテージで把握できるようになっています。新しい単語を覚えたら，積極的に使ってみるよう意識しましょう。

ロシア語を学ぶことは，新たな文化や人々との交流を楽しむためにも非常に有益です。学びたいと感じた時がチャンス。この単語集が，みなさんの新たな挑戦に役立つことを願っています。

本書の特長

1. 左ページに日本語，右ページにロシア語を記載。

日本語，ロシア語のどちらからでも覚えられるように，見開きの構成となっています。ぜひ，自分にあった方法を試してみてください。

2. 日本語の横には英語を提示。

ヨーロッパの言語は同じ語源から派生した単語も多いため，英語の助けを借りることで，スムーズに語彙を増やせます。

3. ロシア語にはカタカナで発音を記載。

単語学習のはじめの段階に，読み方の確認の足がかりとしてお役立てください。

4. 付属の音声で正確なロシア語の発音をチェック。

ロシア語には日本語にない音があるので，カタカナだけでは正確に発音を表すことができません。学習効果を高めるために，付属音声を活用して，ネイティブスピーカーの発音を耳から確認する習慣をつけましょう。

音声について（音声無料ダウンロード）

本書の付属音声は無料でダウンロードすることができます。下記の URL または QR コードより本書紹介ページの【無料音声ダウンロード】にアクセスしてご利用ください。

https://www.goken-net.co.jp/catalog/card.html?isbn=978-4-87615-399-2

または，各見開きの左上に記載された QR コードを読み取ると，その見開き分の音声をまとめて聴くことができます。

注意

◆ ダウンロードで提供する音声は，複数のファイル，フォルダを ZIP 形式で 1 ファイルにまとめています。ダウンロード後に復元してご利用ください。ZIP 形式に対応した復元アプリを必要とする場合があります。

◆ 音声ファイルは MP3 形式です。モバイル端末，パソコンともに，MP3 ファイルを再生可能なアプリ，ソフトを利用して聞くことができます。

◆ インターネット環境によってダウンロードできない場合や，ご使用の機器によって再生できない場合があります。

◆ 本書の音声ファイルは，一般家庭での私的使用の範囲内で使用する目的で頒布するものです。それ以外の目的で複製，改変，放送，送信などを行いたい場合には，著作権法の定めにより著作権者等に申し出て事前に許諾を受ける必要があります。

0001 ☐	今日	today

0002 ☐	明日	tomorrow

0003 ☐	明後日	the day after tomorrow

0004 ☐	昨日	yesterday

0005 ☐	一昨日	the day before yesterday

0006 ☐	日	day

◆「昼」という意味でも使う。

0007 ☐	週	week

0008 ☐	月	month

◆月と曜日の表現は p.206 〜 207 を参照。

0009 ☐	年	year

◆「歳《年齢》」という意味でも使う。

0010 ☐	世紀	century

	年　月　日		年　月　日		年　月　日	
1	／**10**	**2**	／**10**	**3**	／**10**	**1 %**

副 **сего́дня**

シヴォードニャ

副 **за́втра**

ザーフトラ

副 **послеза́втра**

ポスリザーフトラ

副 **вчера́**

フチラー

副 **позавчера́**

パザフチラー

男 **день**

ヂェーニ

女 **неде́ля**

ニヂェーリャ

男 **ме́сяц**

ミェーシィツ

男 **год**

ゴート

男 **век**

ヴェーク

0011 ☐	時間，時刻	time

0012 ☐	秒	second

0013 ☐	分	minute

0014 ☐	時間	hour

◆「～時」と言うときにも使う。

0015 ☐	朝	morning

0016 ☐	昼，正午	noon

0017 ☐	夕方	evening

0018 ☐	夜	night

0019 ☐	真夜中	midnight

0020 ☐	明け方，夜明け	dawn

中　**вре́мя**
ヴリェーミャ

女　**секу́нда**
シクーンダ

女　**мину́та**
ミヌータ

男　**час**
チャース

中　**у́тро**
ウートラ

男　**по́лдень**
ポールヂェニ

男　**ве́чер**
ヴェーチル

女　**ночь**
ノーチ

女　**по́лночь**
ポールナチ

男　**рассве́т**
ラススヴェート

0021 ☐	今	now

0022 ☐	AM，午前（に）	AM

0023 ☐	PM，午後（に）	PM

◆ 副詞的に用いる。

0024 ☐	カレンダー	calendar

0025 ☐	日付	date

◆ 実際に日付を言うときは「数」число 〚中〛チスロー を用いる（ただし序数詞を伴う場合は省略）。

0026 ☐	平日	weekday

0027 ☐	休日	holiday

0028 ☐	誕生日	birthday

◆ 「生年月日」は да́та рожде́ния 〚女〛 ダータ ラジヂェーニャ。

0029 ☐	新年	New Year

◆ 「年末に」は в конце́ го́да フ カンツェー ゴーダ。

0030 ☐	クリスマス	Christmas

	年 月 日		年 月 日		年 月 日	
1	／**10**	**2**	／**10**	**3**	／**10**	**3 %**

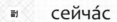

副 **сейча́с**

シチャース

副 **у́тром**

ウートラム

по́сле обе́да

ポスリェ　アベーダ

男 **календа́рь**

カリンダーリ

女 **да́та**

ダータ

複 **бу́дни**

ブードニ

男 **выходно́й день**

ヴイハドノーィ　チェーニ

男 **день рожде́ния**

チェーニ　ラジチェーニャ

男 **Но́вый год**

ノーヴイ　ゴート

中 **Рождество́**

ラジュヂストヴォー

004

0031 □	季節	season
0032 □	春	spring
0033 □	夏	summer
0034 □	秋	autumn
0035 □	冬	winter
0036 □	いつも	always
0037 □	時々	sometimes
0038 □	最近	recently
0039 □	未来	future

◆「将来」という意味でも使う。

0040 □	過去	past

男	**сезóн**	シゾーン
女	**весна́**	ヴィスナー
中	**ле́то**	リェータ
女	**о́сень**	オーシン
女	**зима́**	ジマー
副	**всегда́**	フシグダー
副	**иногда́**	イナグダー
副	**неда́вно**	ニダーヴナ
中	**бу́дущее**	ブードゥッシェエ
中	**про́шлое**	プローシュロエ

0041 ☐	東	east
0042 ☐	西	west
0043 ☐	南	south
0044 ☐	北	north
0045 ☐	上に	up
0046 ☐	下に	down
0047 ☐	左に，左から	left
0048 ☐	右に，右から	right
0049 ☐	近い，近くに	near
0050 ☐	遠い，遠くに	far

男	**восто́к** ヴァストーク
男	**за́пад** ザーパト
男	**юг** ユーク
男	**се́вер** シェーヴェル
副	**наверху́** ナヴィルフー
副	**внизу́** ヴニズー
副	**сле́ва** スレーヴァ
副	**спра́ва** スプラーヴァ
副	**бли́зко** ブリースカ
副	**далеко́** ダリコー

15

0051 ☐	気候	climate

0052 ☐	天気	weather

0053 ☐	天気予報	weather forecast

0054 ☐	気温，温度	temperature

◆「体温」という意味でも使う。

0055 ☐	暑い	hot

0056 ☐	寒い	cold

0057 ☐	晴れ	sunny

0058 ☐	曇り	cloudy

◆「雲」は облако〚中〛オーブラカ。

0059 ☐	雨	rain

0060 ☐	風	wind

男	кли́мат
	クリーマト

女	пого́да
	パゴーダ

男	прогно́з пого́ды
	プラグノース　パゴーディ

女	температу́ра
	チムピラトゥーラ

形	жа́ркий
	ジャールキイ

形	холо́дный
	ハロードヌイ

形	со́лнечный
	ソールニチヌイ

形	па́смурный
	パースムルヌイ

男	дождь
	ドーシチ

男	ве́тер
	ヴェーチル

0061 ☐	雪	snow
0062 ☐	霧	fog
0063 ☐	雷	thunder
0064 ☐	虹	rainbow
0065 ☐	空	sky
0066 ☐	太陽	sun
0067 ☐	月　《天体》	moon
0068 ☐	星	star
0069 ☐	宇宙	space
0070 ☐	ロケット	rocket

◆「ミサイル」という意味でも使う。

男	**снег**
	スニェーク

男	**тума́н**
	トゥマーン

男	**гром**
	グローム

女	**ра́дуга**
	ラードゥガ

中	**не́бо**
	ニェーバ

中	**со́лнце**
	ソーンツェ

女	**луна́**
	ルナー

女	**звезда́**
	ズヴェズダー

男	**ко́смос**
	コースマス

女	**раке́та**
	ラキェータ

0071 ☐	空気，大気	air

0072 ☐	地球	earth

◆「土，大地」という意味でも使う。

0073 ☐	自然	nature

0074 ☐	風景	landscape

0075 ☐	山	mountain

0076 ☐	川	river

0077 ☐	海	sea

0078 ☐	砂浜，浜辺	beach

0079 ☐	湖	lake

0080 ☐	池	pond

男	**во́здух**
	ヴォーズドゥフ

女	**земля́**
	ジムリャー

女	**приро́да**
	プリローダ

男	**пейза́ж**
	ペイザッシュ

女	**гора́**
	ガラー

女	**река́**
	リカー

中	**мо́ре**
	モーリェ

男	**пляж**
	プリャーシュ

中	**о́зеро**
	オージラ

男	**пруд**
	プルート

0081 ☐	森林	forest

0082 ☐	野原，畑	field

0083 ☐	草	grass

0084 ☐	草原	meadow

0085 ☐	丘	hill

0086 ☐	谷	valley

0087 ☐	石	stone

◆「岩」という意味でも使う。

0088 ☐	砂	sand

0089 ☐	砂漠	desert

0090 ☐	火山	volcano

男 **лес**

リェース

中 **по́ле**

ポーリェ

女 **трава́**

トラヴァー

男 **луг**

ルーク

男 **холм**

ホールム

女 **(го́рная) доли́на**

(ゴールナヤ) ダリーナ

男 **ка́мень**

カーミニ

男 **песо́к**

ピソーク

女 **пусты́ня**

プゥスティーニャ

男 **вулка́н**

ヴルカーン

23

0091 ☐	島	island
0092 ☐	半島	peninsula
0093 ☐	大陸	continent
0094 ☐	海峡	strait
0095 ☐	植物	plant
0096 ☐	木	tree
0097 ☐	枝	branch
0098 ☐	葉	leaf
0099 ☐	花	flower
0100 ☐	種〈たね〉	seed

男	**о́стров**	オーストラフ
男	**полуо́стров**	パルオーストラフ
男	**контине́нт**	コンティニェント
男	**проли́в**	プラリーフ
中	**расте́ние**	ラスチェーニェ
中	**де́рево**	ヂェーリヴァ
女	**ветвь**	ヴェートゥフ
男	**лист**	リースト
男	**цвето́к**	ツヴィトーク
中	**се́мя**	シェーミャ

0101 ☐	動物	animal
0102 ☐	動物園	zoo
0103 ☐	水族館	aquarium
0104 ☐	イヌ	dog
0105 ☐	ネコ 〚オス／メス〛	cat
0106 ☐	ウマ	horse

◆総称またはメス馬を表す。オス馬は конь〚男〛コーニ。

0107 ☐	ウシ 〚オス／メス〛	cow
0108 ☐	ブタ	pig
0109 ☐	ヒツジ 〚オス／メス〛	sheep
0110 ☐	ヤギ 〚オス／メス〛	goat

中	**живо́тное**	ジヴォートナエ
男	**зоопа́рк**	ザアパールク
男	**аква́риум**	アクヴァーリウム
女	**соба́ка**	サバーカ
男／女	**кот ／ ко́шка**	コート ／ コーシュカ
女	**ло́шадь**	ローシャチ
男／女	**бык ／ коро́ва**	ブィク ／ カローヴァ
女	**свинья́**	スヴィニヤー
男／女	**бара́н ／ овца́**	バラーン ／ アフツァー
男／女	**козёл ／ коза́**	カジョール ／ カザー

012

0111 ☐	クマ	bear

0112 ☐	ゾウ	elephant

0113 ☐	トラ	tiger

0114 ☐	ライオン	lion

0115 ☐	キツネ	fox

0116 ☐	オオカミ	wolf

0117 ☐	ウサギ	rabbit

◆「野うさぎ」は заяц 〘女〙 ザーイツ。

0118 ☐	サル	monkey

0119 ☐	ハツカネズミ	mouse

◆ マウス《コンピュータ》の意味でも使う。「クマネズミ」は крыса 〘女〙 クルィーサ。

0120 ☐	ラクダ	camel

28

男	**медве́дь**
	ミドヴェーチ

男	**слон**
	スローン

男	**тигр**
	チーグル

男	**лев**
	リェーフ

女	**лиса́**
	リサー

男	**волк**
	ヴォールク

男	**кро́лик**
	クローリク

女	**обезья́на**
	アビジャーナ

女	**мышь**
	ムィーシ

男	**верблю́д**
	ヴェルブリュート

013

0121 ☐	鳥	bird
0122 ☐	オンドリ／メンドリ	rooster／hen
0123 ☐	ハト	pigeon
0124 ☐	カラス	crow
0125 ☐	カエル	frog
0126 ☐	ヘビ	snake
0127 ☐	昆虫	insect
0128 ☐	蝶	butterfly
0129 ☐	蚊	mosquito
0130 ☐	ハエ	fly

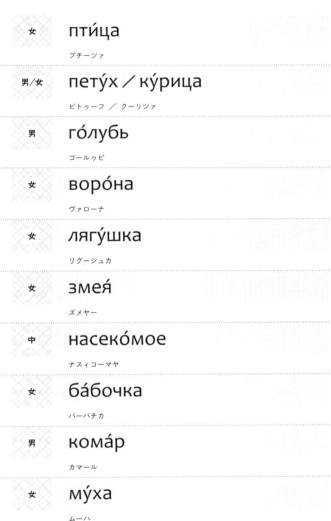

女	**пти́ца**	ブチーツァ
男/女	**пету́х／ку́рица**	ビトゥーフ／クーリツァ
男	**го́лубь**	ゴールゥビ
女	**воро́на**	ヴァローナ
女	**лягу́шка**	リグーシュカ
女	**змея́**	ズメヤー
中	**насеко́мое**	ナスィコーマヤ
女	**ба́бочка**	バーバチカ
男	**кома́р**	カマール
女	**му́ха**	ムーハ

0131 ☐	家族	family

0132 ☐	父	father

0133 ☐	母	mother

0134 ☐	夫	husband

0135 ☐	妻	wife

0136 ☐	息子	son

0137 ☐	娘	daughter

0138 ☐	夫婦	couple

◆「両親」は роди́тели 〔複〕ラヂーチリ。

0139 ☐	兄弟 / 姉妹	brother / sister

0140 ☐	親戚	relative [-s]

◆「親戚(1人)」は ро́дственник 〔男〕ローツトヴェンニク／ро́дственница 〔女〕ローツトヴェンニツァ。

女	**семья́**
	シミヤー

男	**отéц**
	アチェーツ

女	**мать**
	マーチ

男	**муж**
	ムーシュ

女	**женá**
	ジナー

男	**сын**
	スィーン

女	**дочь**
	ドーチ

複	**супру́ги**
	スプルーギ

男/女	**брат / сестрá**
	ブラート / システラー

複	**ро́дственники**
	ローツトヴェンニキ

0141 ☐	祖父	grandfather
0142 ☐	祖母	grandmother
0143 ☐	孫 〖男／女〗	grandchild
0144 ☐	おじ	uncle
0145 ☐	おば	aunt
0146 ☐	おい	nephew
0147 ☐	めい	niece
0148 ☐	いとこ 〖男／女〗	cousin
0149 ☐	赤ちゃん	baby
0150 ☐	子ども	child

男	**дед**
	ヂェート

女	**ба́бушка**
	バーブゥシカ

男/女	**внук / вну́чка**
	ヴヌーク ／ ヴヌーチカ

男	**дя́дя**
	ヂャーヂャ

女	**тётя**
	チョーチャ

男	**племя́нник**
	プリミャーンニク

女	**племя́нница**
	プリミャーニッツア

男/女	**двою́родный брат / двою́родная сестра́**
	ドヴァユーラドヌィイ ブラート ／ ドヴァユーラドナヤ シストラー

男	**младе́нец**
	ムラヂェーニツ

男	**ребёнок**
	リビョーナク

0151 ☐	少年 ／ 少女	boy ／ girl
0152 ☐	若者	youth
0153 ☐	大人，成人	adult
0154 ☐	高齢者	elderly people
0155 ☐	人，人間	person
0156 ☐	人々	people
0157 ☐	性格，性質	character
0158 ☐	印象，感銘	impression
0159 ☐	振る舞い	behavior
0160 ☐	態度	attitude

男/女	**ма́льчик / де́вочка**
	マーリチク ／ ヂェーヴァチカ

女	**молодёжь**
	マラヂョーシ

男	**взро́слый**
	ヴズロースルイ

男	**пожило́й челове́к**
	パジローイ　チラヴェーク

男	**челове́к**
	チラヴェーク

複	**лю́ди**
	リューヂ

男	**хара́ктер**
	ハラークチル

中	**впечатле́ние**
	フピチトリェーニエ

中	**поведе́ние**
	パヴィヂェーニエ

中	**отноше́ние**
	アトナシェーニエ

0161 ☐	感情，感覚	feeling
0162 ☐	意志	will
0163 ☐	喜び，楽しみ	joy
0164 ☐	怒り	anger
0165 ☐	悲しみ	sadness
0166 ☐	驚き	surprise
0167 ☐	心配	anxiety
0168 ☐	恐怖	fear
0169 ☐	同情，共感	sympathy
0170 ☐	ホームシック	homesick

中	**чу́вство** チューストヴァ
女	**во́ля** ヴォーリャ
女	**ра́дость** ラーダスチ
男	**гнев** グニェーフ
女	**печа́ль** ピチャーリ
中	**удивле́ние** ウヂヴリェーニェ
中	**беспоко́йство** ビスパコーィストヴァ
男	**страх** ストラーフ
中	**сочу́вствие** サチューストヴィエ
女	**тоска́ по до́му** トスカー パ ドーム

0171 ☐	挨拶	greeting

| 0172 ☐ | 習慣 | habit |

◆「癖」という意味でも使う。

| 0173 ☐ | 会話 | conversation |

| 0174 ☐ | 約束 | promise |

| 0175 ☐ | 集まり，会うこと | meeting |

| 0176 ☐ | 望み | desire |

| 0177 ☐ | 援助 | help |

| 0178 ☐ | 助言 | advice |

| 0179 ☐ | 協力 | cooperation |

| 0180 ☐ | 感謝 | gratitude |

中 **приве́тствие**

プリヴィエツトゥヴィエ

女 **привы́чка**

プリヴィーチカ

女 **бесе́да**

ビシェーダ

中 **обеща́ние**

アビッシャーニェ

女 **встре́ча**

フストゥレーチャ

中 **жела́ние**

ジラーニェ

女 **по́мощь**

ポーマッシ

男 **сове́т**

サヴェート

中 **сотру́дничество**

サトルードニチェストヴァ

女 **благода́рность**

ブラガダールナスチ

0181	入学	admission

◆「登録」という意味でも使う。

0182	友人	friend

0183	ボーイフレンド，若い男性	boyfriend, boy

0184	ガールフレンド，若い女性	girlfriend, girl

0185	愛，恋	love

0186	結婚	marriage

0187	結婚式	wedding

0188	離婚	divorce

0189	葬式	funeral

0190	墓	grave

中 **зачисле́ние**

ザチスリーニエ

男 **друг**

ドルーク

男 **па́рень**

パーリニ

女 **де́вушка**

ヂェーヴゥシュカ

女 **любо́вь**

リュボーヒ

男 **брак**

ブラーク

女 **сва́дьба**

スヴァーヂバ

男 **разво́д**

ラズヴォート

複 **по́хороны**

ポーハラヌィ

女 **моги́ла**

マギーラ

0191 ☐	人生，生命，生活	life
0192 ☐	妊娠	pregnancy
0193 ☐	誕生	birth

◆「出産」は ро́ды〚複〛ロ―ディ。

0194 ☐	死	death
0195 ☐	体	body
0196 ☐	頭	head
0197 ☐	髪	hair
0198 ☐	顔	face
0199 ☐	目	eye
0200 ☐	鼻	nose

女	**жизнь**
	ジーズニ

女	**бере́менность**
	ビレーミンナスチ

中	**рожде́ние**
	ラジヂェーニェ

女	**смерть**
	スミェールチ

中	**те́ло**
	チェーラ

女	**голова́**
	ガラヴァー

男/男複	**во́лос / во́лосы**
	ヴォーラス ／ ヴォーラスィ

中	**лицо́**
	リツォー

男/男複	**глаз / глаза́**
	グラース ／ グラザー

男	**нос**
	ノース

0201 ☐	耳		ear
0202 ☐	口		mouth
0203 ☐	ひげ		beard
0204 ☐	唇		lip
0205 ☐	歯		tooth
0206 ☐	舌		tongue
0207 ☐	のど		throat
0208 ☐	声		voice
0209 ☐	首		neck
0210 ☐	肩		shoulder

中／中複　**ýхо ／ ýши**

ウーハ ／ ウーシ

男　**рот**

ロート

女／女複　**борода́ ／ бóроды**

バラダー ／ ボーラディ

女／女複　**губа́ ／ гýбы**

グバー ／ グーブィ

男／男複　**зуб ／ зýбы**

ズープ ／ ズーブィ

男／男複　**язы́к ／ языки**

イズィーク ／ イズィキー

中　**гóрло**

ゴールラ

男　**гóлос**

ゴーラス

女　**шéя**

シェーヤ

中／中複　**плечó ／ плéчи**

プリチョー ／ プリェーチ

47

0211 ☐	手，腕	hand, arm

◆ 肩（あるいは手首）から指先を指す。

0212 ☐	ひじ	elbow

0213 ☐	指	finger

0214 ☐	爪	nail

0215 ☐	背中	back

0216 ☐	おなか，腹	belly

0217 ☐	胸	chest

0218 ☐	腰	waist

0219 ☐	尻	buttock

0220 ☐	ひざ	knee

	年 月 日		年 月 日		年 月 日	
1	／**10**	**2**	／**10**	**3**	／**10**	**22%**

女／女複	рука́ ／ ру́ки
	ルカー ／ ルーキ

男／男複	ло́коть ／ ло́кти
	ローカチ ／ ロークチ

男／男複	па́лец ／ па́льцы
	パーリツ ／ パーリツィ

男／男複	но́готь ／ но́гти
	ノーガチ ／ ノークチ

女	спина́ ／ спи́ны
	スピナー ／ スピーヌィ

男	живо́т
	ジヴォート

女	грудь
	グルーチ

女	поясни́ца
	パヤスニーツァ

複	ягоди́цы
	ヤゴディーツィ

中／中複	коле́но ／ коле́ни
	カリェーナ ／ カリェーニ

0221 ☐	足，脚	foot, leg
0222 ☐	脳	brain
0223 ☐	心臓，心	heart
0224 ☐	肺	lung
0225 ☐	胃	stomach
0226 ☐	肝臓	liver
0227 ☐	骨	bone
0228 ☐	筋肉	muscle
0229 ☐	皮膚	skin

◆「皮革，レザー」という意味でも使う。

0230 ☐	血	blood

女／女複	**нога́ ／ но́ги**	
	ナガー ／ ノーギ	

男	**мозг**	
	モーズク	

中	**се́рдце**	
	シェールツェ	

中／中複	**лёгкое ／ лёгкие**	
	リョーフカエ ／ リョーフキエ	

男	**желу́док**	
	ジルーダク	

女	**пе́чень**	
	ピェーチニ	

女	**кость**	
	コースチ	

女	**мы́шца**	
	ムシツァ	

女	**ко́жа**	
	コージャ	

女	**кровь**	
	クローフィ	

024

0231 ☐	汗	sweat
0232 ☐	涙	tear
0233 ☐	健康	health
0234 ☐	病気	disease
0235 ☐	風邪	cold
0236 ☐	インフルエンザ	influenza, flu
0237 ☐	アレルギー	allergy
0238 ☐	感染，伝染病	infection
0239 ☐	熱，発熱	fever
0240 ☐	傷，けが	injury

	年 月 日		年 月 日		年 月 日	
1	／**10**	**2**	／**10**	**3**	／**10**	**24 %**

男	**пот**	
	ポート	
女/女複	**слеза́ ／ слёзы**	
	スレザー ／ スリョーズィ	
中	**здоро́вье**	
	ズダローヴィエ	
女	**боле́знь**	
	バリェーズニ	
女	**просту́да**	
	プラストゥーダ	
男	**грипп**	
	グリープ	
女	**аллерги́я**	
	アレルギーヤ	
女	**инфе́кция**	
	インフェクツィヤ	
男	**жар**	
	ジャール	
女	**ра́на**	
	ラーナ	

025

0241 □	痛み	pain
0242 □	頭痛	headache

◆「腹痛」は боль в желу́дке 〘女〙 ボーリ ヴ ジェルートキェ。

0243 □	めまい	dizziness
0244 □	くしゃみ	sneeze
0245 □	せき	cough
0246 □	下痢	diarrhea
0247 □	空腹	hunger
0248 □	のどの渇き	thirst
0249 □	ストレス	stress
0250 □	緊張した，神経の	nervous

女	**боль**
	ボーリ

女	**головна́я боль**
	ガラヴナーヤ　ボーリ

中	**головокруже́ние**
	ガラヴァクルジェーニェ

中	**чиха́нье**
	チハーンニェ

男	**ка́шель**
	カーシェリ

男	**поно́с**
	パノース

男	**го́лод**
	ゴーラト

女	**жа́жда**
	ジャージュダ

男	**стре́сс**
	ストレース

形	**не́рвный**
	ニェルブニイ

026

0251 ☐	病院	hospital

0252 ☐	医者	doctor

0253 ☐	看護師	nurse

0254 ☐	患者 〖男／女〗	patient

0255 ☐	救急車	ambulance

0256 ☐	診察	(medical) examination

◆「見学，見物」という意味でも使う。

0257 ☐	手術	surgery

0258 ☐	注射	injection

0259 ☐	包帯	bandage

0260 ☐	処方箋	prescription

◆「レシピ」という意味でも使う。

女	**больни́ца**
	バリニーツァ

男	**врач**
	ヴラーチ

女	**медсестра́**
	ミチストラー

男／女	**пацие́нт ／ пацие́нтка**
	パツィエーント ／ パツィエーントカ

女	**маши́на ско́рой по́мощи**
	マシーナ スコーライ ポーマッシ

男	**осмо́тр**
	アスモートル

女	**опера́ция**
	アビラーツィヤ

男	**уко́л**
	ウコール

男	**бинт**
	ビーント

男	**реце́пт**
	リツェープト

0261 ☐	薬局	pharmacy
0262 ☐	薬	medicine
0263 ☐	錠剤	tablet
0264 ☐	軟膏	ointment
0265 ☐	化粧品	cosmetic
0266 ☐	口紅	lipstick
0267 ☐	香水	perfume
0268 ☐	タバコ	cigarette
0269 ☐	ライター	lighter
0270 ☐	禁煙　《掲示》	No smoking.

◆「喫煙」は куре́ние 〖中〗クリーニエ。

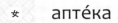

女 **аптéка**

アプチェーカ

中 **лекáрство**

リカールストヴァ

女 **таблéтка**

タブリェートカ

女 **мазь**

マーシ

女 **космéтика**

カスミェーチカ

女 **губнáя помáда**

グブナーヤ　パマーダ

複 **духи́**

ドゥヒー

女 **сигарéта**

シガリェータ

女 **зажигáлка**

ザジガールカ

Не кури́ть.

ニ　クリーチ

59

028

0271 ☐	衣服	clothes
0272 ☐	襟	collar
0273 ☐	袖	sleeve
0274 ☐	ジャケット	jacket
0275 ☐	コート	coat
0276 ☐	セーター	sweater
0277 ☐	ズボン	pants
0278 ☐	スカート	skirt
0279 ☐	シャツ，ワイシャツ	shirt
0280 ☐	ブラウス	blouse

女	**одéжда**
	アヂェージダ

男	**воротни́к**
	ヴァラトニーク

男	**рука́в**
	ルゥカーフ

男	**пиджа́к, жакéт**
	ビッジャーク，ジャケート

中不変	**пальто́**
	パリトー

男	**сви́тер**
	スヴィーテル

複	**брю́ки**
	ブリューキ

女	**ю́бка**
	ユープカ

女	**руба́шка**
	ルゥバーシカ

女	**блу́зка**
	ブルースカ

029

0281 ☐	T シャツ	T-shirt
0282 ☐	スーツ	suit
0283 ☐	ドレス，ワンピース	dress
0284 ☐	下着	underwear
0285 ☐	靴下	sock [-s]
0286 ☐	ストッキング	stocking [-s]
0287 ☐	靴（靴類）	shoe [-s]
0288 ☐	スニーカー	sneaker [-s]
0289 ☐	ブーツ	boot [-s]
0290 ☐	（つばのある）帽子	hat

◆「ニット帽」は шáпка〔女〕シャープカ。

62

女	**Футбо́лка**
	フドボールカ

男	**костю́м**
	カスチューム

中	**пла́тье**
	プラーチェ

中	**ни́жнее бельё**
	ニージニェィエ　ビリヨー

男／男複	**носо́к ／ носки́**
	ナソク ／ ナスキー

男／男複	**чуло́к ／ чулки́**
	チュロク ／ チュルキー

女	**о́бувь**
	オーブゥフィ

女／女複	**кроссо́вок ／ кроссо́вки**
	クラソーヴォク ／ クラソーフキ

男／男複	**сапо́г ／ сапоги́**
	サポーク ／ サパギー

女	**шля́па**
	シュリャーパ

0291 ☐	ジュエリー	jewelry

◆ 単数形 драгоцéнность 〖女〗 ドラゴツェンノスチ は「宝石，貴金属」の意味。

0292 ☐	ネックレス	necklace
0293 ☐	イヤリング，ピアス	earring[-s]
0294 ☐	指輪	ring
0295 ☐	腕時計	watch
0296 ☐	財布	wallet
0297 ☐	メガネ	glasses
0298 ☐	ネクタイ	tie
0299 ☐	ベルト	belt
0300 ☐	ハンカチ	handkerchief

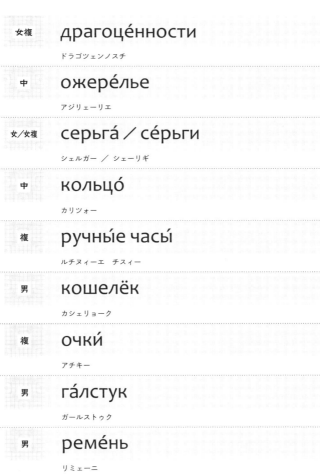

女複	**драгоце́нности**
	ドラゴツェンノスチ

中	**ожере́лье**
	アジリェーリエ

女/女複	**серьга́ / се́рьги**
	シェルガー / シェーリギ

中	**кольцо́**
	カリツォー

複	**ручны́е часы́**
	ルチヌィーエ チスィー

男	**кошелёк**
	カシェリョーク

複	**очки́**
	アチキー

男	**га́лстук**
	ガールストゥク

男	**реме́нь**
	リミェーニ

男	**плато́к**
	プラトーク

0301 ☐	手袋	glove [-s]
0302 ☐	マフラー，スカーフ	scarf
0303 ☐	傘	umbrella
0304 ☐	バッグ，袋	bag
0305 ☐	ハンドバッグ	handbag
0306 ☐	リュックサック	backpack
0307 ☐	布，織物	fabric
0308 ☐	綿，コットン	cotton
0309 ☐	絹，シルク	silk
0310 ☐	毛[糸]，ウール	wool

女/女複	**перча́тка / перча́тки**
	ビルチャートカ ／ ビルチャートキ

男	**шарф**
	シャールフ

男	**зонт**
	ゾーント

女	**су́мка**
	スームカ

女	**су́мочка**
	スーマチカ

男	**рюкза́к**
	リュグザーク

女	**ткань**
	トカーニ

男	**хло́пок**
	フローパク

男	**шёлк**
	ショールク

女	**ше́рсть**
	シェールスチ

◀))

032

0311 ☐	金，ゴールド	gold
0312 ☐	銀，シルバー	silver
0313 ☐	銅	copper
0314 ☐	色	color
0315 ☐	赤い	red
0316 ☐	青い	blue
0317 ☐	黄色い	yellow
0318 ☐	緑色の	green
0319 ☐	オレンジ色の	orange
0320 ☐	茶色い	brown

中 **зо́лото**

ゾーロタ

中 **серебро́**

シリブロー

女 **медь**

ミェーチ

男 **цвет**

ツヴェート

形 **кра́сный**

クラースヌイ

形 **си́ний**

シーニイ

形 **жёлтый**

ジョールテイ

形 **зелёный**

ジリョーヌイ

形 **ора́нжевый**

アラーンジヴイ

形 **кори́чневый**

カリーチニヴイ

0321 ☐	灰色の	gray
0322 ☐	黒い	black
0323 ☐	白い	white
0324 ☐	家，家庭	home
0325 ☐	鍵	key
0326 ☐	家賃	rent
0327 ☐	引っ越し	moving
0328 ☐	住所，宛先	address
0329 ☐	マンション，アパート	apartment
0330 ☐	階，層	floor

形	**céрый**
	シェールイ

形	**чёрный**
	チョールヌイ

形	**бéлый**
	ビェールイ

男	**дом**
	ドーム

男	**ключ**
	クリューチ

女	**плáта за квартúру**
	プラータ ザ クヴァルティール

男	**переéзд**
	ペリエーズト

男	**áдрес**
	アードリス

女	**квартúра**
	クヴァルチーラ

男	**этáж**
	エターシュ

034

0331 ☐	部屋	room
0332 ☐	門	gate
0333 ☐	玄関	entrance
0334 ☐	リビング	living room
0335 ☐	キッチン	kitchen
0336 ☐	寝室	bedroom
0337 ☐	書斎	study
0338 ☐	地下室	basement
0339 ☐	バルコニー	balcony
0340 ☐	車庫，ガレージ	garage

女	**ко́мната**
	コームナタ

複	**воро́та**
	ヴァロータ

女	**прихо́жая**
	プリホージャヤ

女	**гости́ная**
	ガスチーナヤ

女	**ку́хня**
	クーフニャ

女	**спа́льня**
	スパーリニャ

男	**кабине́т**
	カビニェート

男	**подва́л**
	パドヴァール

男	**балко́н**
	バルコーン

男	**гара́ж**
	ガラーシュ

035

0341 ☐	浴室	bathroom

0342 ☐	シャワー	shower

0343 ☐	トイレ	toilet

◆「男性用」は M(ужско́й) ムシュスコーィ，「女性用」は Ж(е́нский) ジェーンスキィ。

0344 ☐	ドア	door

0345 ☐	階段	stair [-s]

0346 ☐	壁	wall

0347 ☐	床	floor

0348 ☐	屋根	roof

0349 ☐	庭	garden

0350 ☐	中庭	courtyard

女	**вáнная**
	ヴァーンナヤ

男	**душ**
	ドゥーシュ

男	**туалéт**
	トゥアリェート

女	**двéрь**
	ドヴェーリ

女	**лéстница**
	リェースニツァ

女	**стенá**
	スチェナー

男	**пол**
	ポール

女	**кры́ша**
	クルィーシャ

男	**сад**
	サート

男	**двор**
	ドヴォール

0351 ☐	家具	furniture
0352 ☐	テーブル	table
0353 ☐	机	desk
0354 ☐	椅子	chair
0355 ☐	ソファ	sofa
0356 ☐	洋服ダンス	wardrobe
0357 ☐	食器棚	cupboard
0358 ☐	本棚	bookshelf
0359 ☐	カーテン	curtain
0360 ☐	窓	window

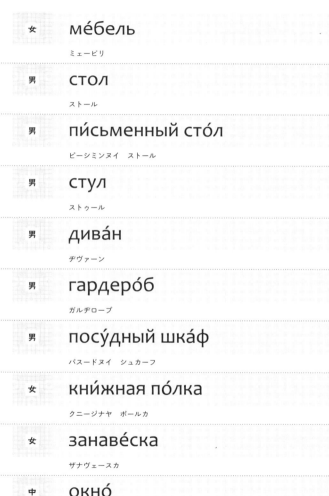

女	**мéбель**
	ミェービリ

男	**стол**
	ストール

男	**пи́сьменный сто́л**
	ピーシミンヌイ　ストール

男	**стул**
	ストゥール

男	**дива́н**
	ヂヴァーン

男	**гардеро́б**
	ガルヂローブ

男	**посу́дный шка́ф**
	パスードヌイ　シュカーフ

女	**кни́жная по́лка**
	クニージナヤ　ポールカ

女	**занавéска**
	ザナヴェースカ

中	**окно́**
	アクノー

0361 ☐	じゅうたん	carpet
0362 ☐	ベッド	bed
0363 ☐	まくら	pillow
0364 ☐	毛布	blanket
0365 ☐	照明	lighting
0366 ☐	ろうそく	candle
0367 ☐	ランプ	lamp
0368 ☐	エアコン	air conditioner
0369 ☐	暖炉	fireplace
0370 ☐	時計	clock

男	**ковёр**
	カヴョール

女	**крова́ть**
	クラヴァーチ

女	**поду́шка**
	パドゥーシカ

中	**одея́ло**
	アヂヤーラ

中	**освеще́ние**
	アスヴィシェーニェ

女	**свеча́**
	スヴィチアー

女	**ла́мпа**
	ラームバ

男	**кондиционе́р**
	カンヂツィアニェール

男	**ками́н**
	カミン

複	**часы́**
	チスィー

◆)) *038*

0371 ☐	花瓶	vase

0372 ☐	人形	doll

0373 ☐	おもちゃ	toy

0374 ☐	ドライヤー	hair dryer

0375 ☐	シャンプー	shampoo

0376 ☐	ヘアブラシ	hair brush

0377 ☐	歯ブラシ	toothbrush

◆「歯磨き粉」は зубна́я па́ста〖女〗ズブナーヤ パースタ。

0378 ☐	石鹸	soap

0379 ☐	タオル	towel

0380 ☐	鏡	mirror

女 **ва́за**
ヴァーザ

女 **ку́кла**
クークラ

女 **игру́шка**
イグルーシカ

男 **фен**
フェーン

男 **шампу́нь**
シャムプーニ

女 **расчёска**
ラショースカ

女 **зубна́я щётка**
ズブナーヤ　ショートカ

中 **мы́ло**
ムィーラ

中 **полоте́нце**
パラチェーンツェ

中 **зе́ркало**
ジェールカラ

0381 ☐	家事	housework
0382 ☐	掃除	cleaning
0383 ☐	掃除機	vacuum cleaner
0384 ☐	ほうき	broom
0385 ☐	洗剤	detergent
0386 ☐	スポンジ	sponge
0387 ☐	バケツ	bucket
0388 ☐	電気，電力	electricity
0389 ☐	スイッチ	switch
0390 ☐	コンセント	outlet

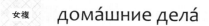

| 女複 | **домáшние делá** |
| | ダマーシュニエ ヂラー |

| 女 | **убóрка** |
| | ウボールカ |

| 男 | **пылесóс** |
| | プィリソース |

| 男 | **вéник** |
| | ヴェーニク |

| 中 | **мóющее срéдство** |
| | ムユシュエ スレツトヴァ |

| 女 | **мочáлка** |
| | マチャールカ |

| 中 | **ведрó** |
| | ヴィドロー |

| 中 | **электрѝчество** |
| | エリクトリーチェストヴァ |

| 男 | **выключáтель** |
| | ヴィクリュチャーチリ |

| 女 | **розéтка** |
| | ラジェートカ |

0391 ☐	洗濯	laundry
0392 ☐	洗濯機	washing machine
0393 ☐	アイロン	iron
0394 ☐	冷蔵庫	refrigerator
0395 ☐	電子レンジ	microwave
0396 ☐	フライパン	frying pan
0397 ☐	鍋	pot
0398 ☐	やかん，急須	kettle
0399 ☐	缶	can
0400 ☐	瓶，ボトル	bottle

	年 月 日		年 月 日		年 月 日	
1	/**10**	**2**	/**10**	**3**	/**10**	**40 %**

女	**стирка**
	スチールカ

女	**стиральная машина**
	スチラーリナヤ　マシーナ

男	**утюг**
	ウチューク

男	**холодильник**
	ハラヂーリニク

女	**микроволновая печь**
	ミクラヴァルノーヴァヤ　ピェーチ

女	**сковорода**
	スカヴァラダー

女	**кастрюля**
	カストリューリャ

男	**чайник**
	チャーイニク

女	**банка**
	バーンカ

女	**бутылка**
	ブッティールカ

0401 ☐	食器	tableware
0402 ☐	スプーン	spoon
0403 ☐	フォーク	fork
0404 ☐	ナイフ，包丁	knife
0405 ☐	皿	plate
0406 ☐	グラス	glass
0407 ☐	カップ	cup
0408 ☐	ボウル，深皿	bowl
0409 ☐	ナプキン	napkin
0410 ☐	箱	box

女	**посу́да**
	パスーダ

女	**ло́жка**
	ローシュカ

女	**ви́лка**
	ヴィールカ

男	**нож**
	ノーシュ

女	**таре́лка**
	タリェールカ

男	**стака́н**
	スタカーン

女	**ча́шка**
	チャーシカ

女	**ми́ска**
	ミースカ

女	**салфе́тка**
	サルフェートカ

女	**коро́бка**
	カローブカ

| 0411 ☐ | 食事 | meal |

| 0412 ☐ | 朝食 | breakfast |

| 0413 ☐ | 昼食 | lunch |

| 0414 ☐ | 夕食 | dinner |

| 0415 ☐ | パン | bread |

| 0416 ☐ | 米 | rice |

| 0417 ☐ | 小麦粉 | flour |

◆「小麦」は пшени́ца〘女〙 プシェニーッツァ。

| 0418 ☐ | 卵 | egg |

| 0419 ☐ | チーズ | cheese |

| 0420 ☐ | バター | butter |

◆「油」は ма́сло〘中〙 マースラ。

女	**еда́**	イェダー
男	**за́втрак**	ザーフトラク
男	**обе́д**	アビェート
男	**у́жин**	ウージン
男	**хлеб**	フリェープ
男	**рис**	リース
女	**мука́**	ムカー
中	**яйцо́**	イツォー
男	**сыр**	スィール
中	**сли́вочное ма́сло**	スリーヴァチナエ　マースラ

043

| 0421 ☐ | 肉　《食肉》 | meat |

| 0422 ☐ | 魚　《食用》 | fish |

◆「鮭」は кéта〘女〙キェータ。

| 0423 ☐ | 貝　《食用》 | shellfish |

| 0424 ☐ | 野菜（野菜類） | vegetable |

| 0425 ☐ | 豆 | bean |

◆複数形でさや入りの豆を表す。

| 0426 ☐ | キノコ | mushroom |

◆複数形がよく用いられる。

| 0427 ☐ | イカ | squid |

| 0428 ☐ | カニ | crab |

| 0429 ☐ | ハム | ham |

| 0430 ☐ | ソーセージ | sausage |

90

中	**мя́со**
	ミャーサ

女	**ры́ба**
	ルィーバ

男	**моллю́ск**
	マリュースク

複	**о́вощи**
	オーヴァシィ

男／男複	**боб／бобы́**
	ボブ ／ バブィー

男／男複	**гриб／грибы́**
	グリーブ ／ グリブィー

男	**кальма́р**
	カリマール

男	**краб**
	クラーブ

女	**ветчина́**
	ヴェッチナー

女	**колбаса́**
	カルバサー

0431 ☐	トマト	tomato
0432 ☐	じゃがいも	potato
0433 ☐	にんじん	carrot
0434 ☐	タマネギ	onion
0435 ☐	キャベツ	cabbage
0436 ☐	カボチャ	pumpkin
0437 ☐	とうもろこし	corn
0438 ☐	きゅうり	cucumber
0439 ☐	にんにく	garlic
0440 ☐	ビーツ	beet

男 **помидо́р**

パミドール

男 **карто́фель**

カルトーフィリ

女 **морко́вь**

マルコーフィ

男 **лук**

ルーク

女 **капу́ста**

カブースタ

女 **ты́ква**

ティークヴァ

女 **кукуру́за**

ククルーザ

男 **огуре́ц**

アグリェーツ

男 **чесно́к**

チェスノーク

女 **свёкла**

スヴョークラ

0441	果物	fruit

◆ 通常複数形を用いる。

0442	りんご	apple

0443	ぶどう	grape

0444	サクランボ	cherry

0445	イチゴ	strawberry

0446	もも	peach

0447	レモン	lemon

0448	オレンジ	orange

0449	バナナ	banana

0450	ブルーベリー	blueberry

男/男複	**фрукт ／ фру́кты**
	フルークト ／ フルークティ

中	**я́блоко**
	ヤーブラカ

男	**виногра́д**
	ヴィナグラート

女	**ви́шня**
	ヴィーシュニャ

女	**клубни́ка**
	クルブニーカ

男	**пе́рсик**
	ピェールシク

男	**лимо́н**
	リモーン

男	**апельси́н**
	アピリシーン

男	**бана́н**
	バナーン

女	**черни́ка**
	チェルニーカ

| 0451 ☐ | お菓子，スイーツ | sweet[-s] |

◆ 単数形 сла́дость 『女』 スラードシチ は「甘さ」の意味。

| 0452 ☐ | ケーキ | cake |

| 0453 ☐ | クッキー | cookie |

| 0454 ☐ | アイスクリーム | ice cream |

| 0455 ☐ | クリーム | cream |

| 0456 ☐ | チョコレート | chocolate |

| 0457 ☐ | 飴 | candy |

| 0458 ☐ | 調味料 | seasoning |

| 0459 ☐ | 砂糖 | sugar |

| 0460 ☐ | 塩 | salt |

女複　**сла́дости**

スラーダシチ

男　**торт**

トルト

中　**пече́нье**

ピチェーンニェ

中　**моро́женое**

マロージナエ

男　**крем**

クリェーム

男　**шокола́д**

シャカラートゥ

女　**конфе́та**

カンフェータ

女　**припра́ва**

プリプラーヴァ

男　**са́хар**

サーハル

女　**соль**

ソーリ

047

0461 ☐	酢	vinegar

0462 ☐	コショウ	pepper

0463 ☐	スパイス	spice

◆ 通常複数形を用いる。

0464 ☐	マスタード	mustard

0465 ☐	ソース	sauce

0466 ☐	ジャム	jam

0467 ☐	飲み物	drink

0468 ☐	水	water

0469 ☐	ミネラルウォーター	mineral water

0470 ☐	ジュース	juice

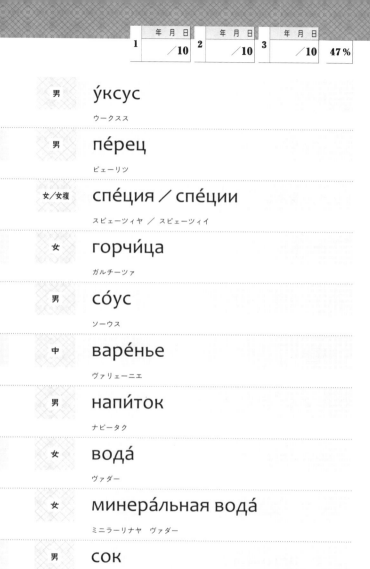

男 **у́ксус**
ウークスス

男 **пе́рец**
ビェーリツ

女/女複 **спе́ция / спе́ции**
スピェーツィヤ ／ スピェーツィイ

女 **горчи́ца**
ガルチーツァ

男 **со́ус**
ソーウス

中 **варе́нье**
ヴァリェーニエ

男 **напи́ток**
ナピータク

女 **вода́**
ヴァダー

女 **минера́льная вода́**
ミニラーリナヤ　ヴァダー

男 **сок**
ソーク

0471 ☐	ビール	beer
	◆「アルコール」は алкого́ль〖男〗アルカゴーイ。	
0472 ☐	ワイン	wine
0473 ☐	シャンパン	champagne
0474 ☐	ウォッカ	vodka
0475 ☐	コーヒー	coffee
0476 ☐	紅茶	tea
0477 ☐	牛乳	milk
0478 ☐	レストラン	restaurant
0479 ☐	カフェ	café
0480 ☐	メニュー	menu

中	**пи́во**
	ビーヴァ

中	**вино́**
	ヴィノー

中	**шампа́нское**
	シャムパーンスカエ

女	**во́дка**
	ヴォートカ

男不変	**ко́фе**
	コーフェ

男	**чай**
	チャーィ

中	**молоко́**
	マラコー

男	**рестора́н**
	リスタラーン

中不変	**кафе́**
	カフェー

中不変	**меню́**
	ミニュー

0481 ☐	料理（すること）	cooking

◆「ピロシキ」は пирожки〚男複〛ピラシュキィ。

| 0482 ☐ | 前菜 | appetizer |

| 0483 ☐ | スープ | soup |

◆「ボルシチ」は борщ〚男〛ボールシシ。

| 0484 ☐ | サラダ | salad |

| 0485 ☐ | メインディッシュ | main dish |

| 0486 ☐ | デザート | dessert |

| 0487 ☐ | 料理人 | cook |

| 0488 ☐ | 接客係 〚男／女〛 | server |

| 0489 ☐ | 注文 | order |

| 0490 ☐ | 伝票 | check |

女	**готóвка**	ガトーフカ
女	**закýска**	ザクースカ
男	**суп**	スープ
男	**салáт**	サラート
中	**вторóе**	フタローエ
男	**десéрт**	ヂシェールト
男	**пóвар**	ポーヴァル
男/女	**официáнт / официáнтка**	アフィツィアーント / アフィツィアーントカ
男	**закáз**	ザカース
男	**счёт**	ショート

0491 ☐	店	shop
0492 ☐	売店，キオスク	kiosk
0493 ☐	市場	market
0494 ☐	スーパーマーケット	supermarket
0495 ☐	デパート	department store
0496 ☐	パン屋	bakery
0497 ☐	お菓子屋	confectionery
0498 ☐	本屋，書店	bookstore
0499 ☐	［買い物］客	customer
0500 ☐	店員	salesperson

	年 月 日		年 月 日		年 月 日	
1	／**10**	**2**	／**10**	**3**	／**10**	**50 %**

男	**магази́н**
	マガジーン

男	**кио́ск**
	キオースク

男	**ры́нок**
	ルィーナク

男	**суперма́ркет**
	スゥピルマールキト

男	**универма́г**
	ウニヴィルマーク

女	**бу́лочная**
	ブーラチナヤ

女	**конди́терская**
	カンヂーチェルスカヤ

男	**кни́жный магази́н**
	クニージュヌイ　マガジーン

男	**покупа́тель**
	パクパーチェリ

男	**продаве́ц**
	プラダヴェーツ

051

0501 ☐	買い物（すること）	shopping

0502 ☐	値段	price

0503 ☐	値引き，割引	discount

0504 ☐	セール	sale

0505 ☐	現金	cash

0506 ☐	クレジットカード	credit card

0507 ☐	おつり	change

0508 ☐	チップ	tip

0509 ☐	領収書	receipt

◆「レシート」は чек【男】チェーク。

0510 ☐	レジ	register

◆「切符売り場」の意味でも使う。

女 **покупка**

パクープカ

女 **цена**

ツィナー

女 **скидка**

スキートカ

女 **распродажа**

ラスプラダージャ

複 **наличные**

ナリーチヌィエ

女 **кредитная карта**

クリヂートナヤ　カールタ

女 **сдача**

ズダーチャ

複 **чаевые**

チーブイエ

女 **квитанция**

クヴィターンツィア

女 **касса**

カーッサ

0511
☐ お金 money

◆「ルーブル」は рубль 〚男〛ルーブリ。

0512
☐ 紙幣 bill

0513
☐ 硬貨 coin

0514
☐ [外貨] 両替 currency exchange

◆「円」は иена 〚女〛イエーナ。

0515
☐ 振り込み transfer

◆「通訳，翻訳」の意味でも使う。

0516
☐ 銀行 bank

0517
☐ 郵便局 post office

0518
☐ [郵便] ポスト post

0519
☐ 切手 stamp

0520
☐ はがき postcard

複 **де́ньги**

ヂェーンィギ

複 **бума́жные де́ньги**

ブマージヌィエ　ヂェーンィギ

女 **моне́та**

マニェータ

男 **обме́н валю́ты**

アブミェーン　ヴァリューテイ

男 **перево́д**

ピリヴォート

男 **банк**

バーンク

女 **по́чта**

ポーチタ

男 **почто́вый я́щик**

パチトーヴイ　ヤーシク

女 **ма́рка**

マールカ

女 **откры́тка**

アトクルィートカ

053

0521 ☐	手紙	letter

0522 ☐	小包	parcel

0523 ☐	速達	express

0524 ☐	航空便	airmail

0525 ☐	受取人	recipient

0526 ☐	差出人	sender

0527 ☐	名前，ファーストネーム	first name

◆ロシアでは父親の名前をミドルネーム（父称）отчество として用いる。

0528 ☐	苗字，姓	last name

◆ロシア人の姓は男性・女性で形が変化する場合がほとんど。

0529 ☐	電話番号	telephone number

0530 ☐	身分証明書	identification

中	**письмо́**
	ピシモー

女	**посы́лка**
	パスィールカ

女	**сро́чная по́чта**
	スローチナヤ　ポーチタ

女	**авиапо́чта**
	アヴィアポーチタ

男	**получа́тель**
	パルチャーチリ

男	**отправи́тель**
	アトプラヴィーチリ

中	**и́мя**
	イーミャ

女	**фами́лия**
	ファミーリヤ

男	**телефо́нный но́мер**
	ティリフォーンヌィイ　ノーミル

中	**удостовере́ние ли́чности**
	ウダスタヴェリェーニェ　リーチナスチ

0531 ☐	交通，輸送	transport
0532 ☐	通り	street
0533 ☐	大通り	avenue
0534 ☐	角〈かど〉	corner
0535 ☐	交差点	intersection
0536 ☐	横断歩道	crosswalk
0537 ☐	信号機	traffic light
0538 ☐	停留所	stop

◆「停止」という意味でも使う。

| 0539 ☐ | 橋 | bridge |
| 0540 ☐ | 歩行者 | pedestrian |

男 **трáнспорт**

トラーンスパルト

女 **ýлица**

ウーリツァ

男 **проспéкт**

プラスピェークト

男 **ýгол**

ウーガル

男 **перекрёсток**

ピリクリョースタク

男 **перехóд**

ピリホート

男 **светофóр**

スヴェタフォール

女 **останóвка**

アスタノーフカ

男 **мост**

モースト

男 **пешехóд**

ペシホート

0541 ☐	車，自動車	car

◆「機械」という意味でも使う。

0542 ☐	タクシー	taxi

0543 ☐	トラック	truck

0544 ☐	バス	bus

0545 ☐	自転車	bicycle, bike

0546 ☐	バイク	motorcycle

0547 ☐	駐車場	parking

0548 ☐	ガソリンスタンド	gas station

0549 ☐	高速道路	expressway

0550 ☐	渋滞	traffic jam

◆「コルク，栓」という意味でも使う。

女	**маши́на**
	マシーナ

中不変	**такси́**
	タクシー

男	**грузови́к**
	グルゥザヴィーク

男	**авто́бус**
	アフトーブゥス

男	**велосипе́д**
	ヴィラシピェート

男	**мотоци́кл**
	マタツィークル

女	**стоя́нка**
	スタヤーンカ

女	**бензоколо́нка**
	ビンザカローンカ

女	**автостра́да**
	アフタストラーダ

女	**про́бка**
	プロープカ

056

| 0551 ☐ | 運転免許証 | driving license |

◆ 単数形 пра́во〚中〛プラーヴァ は「法律，権利」の意味。

| 0552 ☐ | 乗客 | passenger |

| 0553 ☐ | 運転手 | driver |

| 0554 ☐ | 鉄道 | railroad |

◆「線路」の意味でも使う。

| 0555 ☐ | 電車，列車 | train |

| 0556 ☐ | 急行列車 | express train |

| 0557 ☐ | 地下鉄 | subway |

| 0558 ☐ | 路面電車 | tram |

| 0559 ☐ | 駅 | station |

| 0560 ☐ | ターミナル駅 | terminal station |

	年 月 日		年 月 日		年 月 日	
1	／**10**	**2**	／**10**	**3**	／**10**	**56 %**

中複	**права́**
	プラヴァー

男	**пассажи́р**
	パサジール

男	**води́тель**
	ヴァヂーチェリ

女	**желе́зная доро́га**
	ジリエーズナヤ　ダローガ

男	**по́езд**
	ポーイスト

男	**ско́рый по́езд**
	スコールィイ　ポーイスト

中不変	**метро́**
	ミトロー

男	**трамва́й**
	トラムヴァーイ

女	**ста́нция**
	スターンツィヤ

男	**вокза́л**
	ヴァグザール

117

057

0561 ☐	プラットホーム	platform
0562 ☐	～番線	track
0563 ☐	切符，チケット	ticket
0564 ☐	運賃	fare
0565 ☐	券売機	ticket machine
0566 ☐	時刻表，時間割	timetable
0567 ☐	路線，ルート	route
0568 ☐	乗り換え	transfer
0569 ☐	遅れ，遅延	delay
0570 ☐	船	ship

◆「大型船，軍艦」は корáбль〖男〗カラーブリ。

女 **платфо́рма**

ブラトフォールマ

男 **путь**

プーチ

男 **биле́т**

ビリェート

女 **пла́та за прое́зд**

ブラータ ザ プリィエースト

男 **автома́т по прода́же биле́тов**

アフタマート ポ プラダージュ ビリエータフ

中 **расписа́ние**

ラスピサーニエ

男 **маршру́т**

マルシルート

女 **переса́дка**

ビリサートカ

女 **заде́ржка**

ザデールシュカ

中 **су́дно**

スードナ

0571 ☐	港	port
0572 ☐	空港	airport
0573 ☐	パスポート	passport
0574 ☐	搭乗券	boarding pass
0575 ☐	スーツケース	suitcase
0576 ☐	手荷物	baggage
0577 ☐	入国審査	passport control
0578 ☐	保安検査	security check
0579 ☐	税関	customs
0580 ☐	検疫	quarantine

男	**порт**
	ポールト

男	**аэропóрт**
	アエラポールト

男	**заграни́чный пáспорт**
	ザグラニーチヌイ　パースパルト

男	**посáдочный талóн**
	パサードチュニイ　タローン

男	**чемодáн**
	チマダーン

女	**ручнáя кладь**
	ルチナーヤ　クラーチ

男	**пограни́чный контрóль**
	パグラニーチヌイ　カントロール

男	**контрóль безопáсности**
	カントローリ　ビザパースナスチ

女	**тамóжня**
	タモージニャ

男	**каранти́н**
	カランティーン

0581 ☐	飛行機	plane
0582 ☐	パイロット	pilot
0583 ☐	客室乗務員 〖男／女〗	flight attendant
0584 ☐	窓側の席	window seat
0585 ☐	通路側の席	aisle seat
0586 ☐	シートベルト	seatbelt
0587 ☐	離陸	take off
0588 ☐	着陸	landing

◆「搭乗」という意味でも使う。

0589 ☐	出発	departure
0590 ☐	到着	arrival

◆「(飛行機の)到着」は прилёт 〖男〗 プリリョート を使う。

男	**самолёт**
	サマリョート

男	**пило́т**
	ピロート

男/女	**бортпроводни́к / бортпроводни́ца**
	ボルトプロヴァドニーク ／ ボルトプロヴァドニーツァ

中	**ме́сто у окна́**
	ミェースタ ウ アクナー

中	**ме́сто у прохо́да**
	ミェースタ ウ プラホーダ

男	**реме́нь безопа́сности**
	リミェーニ ビザパースナスチ

男	**взлёт**
	ヴズリョート

女	**поса́дка**
	パサートカ

男	**отъе́зд**
	アトィエースト

中	**прибы́тие**
	プリブィーチェ

0591 ☐	外国	foreign country

0592 ☐	外国人　〚男／女〛	people from other countries

0593 ☐	ビザ	visa

0594 ☐	大使館	embassy

0595 ☐	旅行	trip

◆「小旅行」は поéздка 〚女〛 パィエーストカ。

0596 ☐	観光	sightseeing

◆「遠足」の意味でも使う。

0597 ☐	観光客	tourist

0598 ☐	[観光] 名所	tourist attraction

0599 ☐	体験，経験	experience

◆「実験」という意味でも使う。

0600 ☐	思い出，記憶	memory

	年 月 日		年 月 日		年 月 日	
1	/**10**	**2**	/**10**	**3**	/**10**	**60%**

中 **зарубе́жье**

ザルビェージェ

男/女 **иностра́нец / иностра́нка**

イナストラーニツ / イナストラーンカ

女 **ви́за**

ヴィーザ

中 **посо́льство**

パソーリストヴァ

中 **путеше́ствие**

プチシェーストヴィエ

女 **экску́рсия**

エクスクールシヤ

男 **тури́ст**

トゥリースト

女 **достопримеча́тельность**

ダスタプリミチャーチリナスチ

男 **о́пыт**

オーブィト

女 **па́мять**

パーミチ

0601 ☐	地図	map

◆「カード」の意味でも使う。

0602 ☐	ガイド　《人》	guide

◆「ガイドブック」の意味でも使う。

0603 ☐	パッケージツアー	package tour

0604 ☐	列	line

◆「行列，順番」という意味でも使う。

0605 ☐	土産	souvenir

0606 ☐	中心街	downtown

◆「中心，中央」の意味でも使う。

0607 ☐	市役所，市庁舎	city hall

0608 ☐	教会	church

◆「ロシア正教会」は Ру́сская правосла́вная це́рковь〚女〛（略称：РПЦ）

0609 ☐	城	castle

0610 ☐	塔，タワー	tower

女	**ка́рта**
	カールタ

男	**гид**
	ギィド

男	**турпаке́т**
	トゥルパケット

女	**о́чередь**
	オーチリチ

男	**сувени́р**
	スヴェニール

男	**це́нтр**
	ツェーントル

女	**мэ́рия**
	メーリヤ

女	**це́рковь**
	ツェールカフィ

男	**за́мок**
	ザーマク

女	**ба́шня**
	バーシニャ

0611 ☐	広場	square
0612 ☐	光，明かり	light
0613 ☐	公園	park
0614 ☐	噴水	fountain
0615 ☐	ベンチ	bench
0616 ☐	記念碑，モニュメント	monument
0617 ☐	建物，ビル	building
0618 ☐	ロビー	lobby
0619 ☐	エレベーター	elevator
0620 ☐	エスカレーター	escalator

女 **пло́щадь**

プローシャチ

男 **свет**

スヴェート

男 **парк**

パールク

男 **фонта́н**

ファンタン

女 **скаме́йка**

スカミェーイカ

男 **па́мятник**

パーミトニク

中 **зда́ние**

ズダーニエ

男 **вестибю́ль**

ヴェスチビューリ

男 **лифт**

リーフト

男 **эскала́тор**

エスカラータル

0621 ☐	ホテル	hotel
0622 ☐	フロント	reception
0623 ☐	予約	reservation
0624 ☐	キャンセル	cancel
0625 ☐	チェックイン	check in
0626 ☐	シングルルーム	single room
0627 ☐	ツインルーム	twin room
0628 ☐	入口	entrance
0629 ☐	出口	exit
0630 ☐	非常口	emergency exit

	年 月 日		年 月 日		年 月 日	
1	╱**10**	**2**	╱**10**	**3**	╱**10**	**63%**

女	**гости́ница**
	ガスチーニツァ

女	**администра́ция**
	アドミニストラーツィヤ

中	**брони́рование**
	ブラニーラヴァニエ

女	**отме́на**
	アトミェーナ

女	**регистра́ция**
	リギストラーツィヤ

男	**одноме́стный но́мер**
	アドナミェースヌイ　ノーミル

男	**двухме́стный но́мер**
	ドヴフミェースヌイ　ノーミル

男	**вход**
	フホート

男	**вы́ход**
	ヴィーハト

男	**авари́йный вы́ход**
	アヴァリーヌイ　ヴィーハト

0631 ☐	建築	architecture
0632 ☐	建築家	architect
0633 ☐	スポーツ	sports
0634 ☐	[スポーツ]選手　〖男／女〗	athlete
0635 ☐	チーム	team
0636 ☐	コーチ，監督	coach
0637 ☐	試合	match
0638 ☐	決勝	final
0639 ☐	勝利，勝ち	victory
0640 ☐	敗北，負け	defeat

| 女 | **архитекту́ра** |
| | アルヒチェクトゥーラ |

| 男 | **архите́ктор** |
| | アルヒチェークタル |

| 男 | **спорт** |
| | スポールト |

| 男/女 | **спортсме́н／спортсме́нка** |
| | スパルツミェーン ／ スパルツミェーンカ |

| 女 | **кома́нда** |
| | カマーンダ |

| 男 | **тре́нер** |
| | トリェーニル |

| 中複 | **соревнова́ния** |
| | サリヴナヴァーニヤ |

| 男 | **фина́л** |
| | フィナール |

| 女 | **побе́да** |
| | パビェーダ |

| 中 | **пораже́ние** |
| | パラジェーニエ |

0641 ☐	スタジアム，競技場	stadium

0642 ☐	オリンピック	the Olympics

◆「パラリンピック」は Паралимпиа́да 〖女〗パラリンピアーダ。

0643 ☐	野球	baseball

0644 ☐	サッカー	soccer

0645 ☐	バレーボール	volleyball

0646 ☐	バスケットボール	basketball

0647 ☐	テニス	tennis

0648 ☐	卓球	table tennis

0649 ☐	水泳	swimming

0650 ☐	プール	pool

男	**стадио́н**
	スタヂオーン

女	**Олимпиа́да**
	アリンピアーダ

男	**бейсбо́л**
	ビズボール

男	**футбо́л**
	フドボール

男	**волейбо́л**
	ヴァリボール

男	**баскетбо́л**
	バスキドボール

男	**те́ннис**
	テーニス

男	**насто́льный те́ннис**
	ナストーリヌイ　テーニス

中	**пла́вание**
	プラーヴァニエ

男	**бассе́йн**
	バシェーイン

066

□ **体操競技** artistic gymnastics

◆「新体操」は худо́жественная гимна́стика〚女〛フドージェストヴェンナヤ ギムナースチカ。

0652
□ **ダンス** dance

◆「バレエ」は бале́т〚男〛バリェート。

0653
□ **スキー［板］** ski [-s]

◆「スキー」の意味では通常複数形を用いる。

0654
□ **フィギュアスケート** figure skating

◆「スピードスケート」は конькобе́жный спорт〚男〛カニカベージュニィ スポルト。

0655
□ **マラソン** marathon

0656
□ **サイクリング** cycling

0657
□ **登山** mountaineering

0658
□ **ハイキング** hiking

0659
□ **散歩** walk

0660
□ **釣り** fishing

女 **спорти́вная гимна́стика**

スパルチーヴナヤ　ギムナースチカ

男 **та́нец**

ターニェツ

女/女複 **лы́жа / лы́жи**

ルィージャ ／ ルィージ

中 **фигу́рное ката́ние**

フィグールナエ　カターニエ

男 **марафо́нский бег**

マラフォーンスキィ　ビェーク

女 **езда́ на велосипе́де**

イエズダー　ナ　ヴィラシペーヂェ

男 **альпини́зм**

アリピニーズム

男 **пе́ший тури́зм**

ペーシイ　トゥリーズム

女 **прогу́лка**

プラグールカ

女 **рыба́лка**

ルィバールカ

0661 ☐	趣味，娯楽	hobby

◆「(熱心な) 趣味・活動」は увлечéние〚中〛ウヴリチェーニェ。

0662 ☐	余暇，暇	leisure

0663 ☐	興味深い	interesting

0664 ☐	休暇	vacation

0665 ☐	祝日，祭日	hoiliday

◆「祭り」という意味でも使う。

0666 ☐	パーティー	party

0667 ☐	招待	invitation

0668 ☐	招待客	guest

0669 ☐	花束	bouquet

0670 ☐	プレゼント	present

中不変	**хо́бби**
	ホービ

男	**досу́г**
	ダスーグ

形	**интере́сный**
	インチリェースヌイ

男	**о́тпуск**
	オートプゥスク

男	**пра́здник**
	プラーズニク

女	**вечери́нка**
	ヴェチリーンカ

中	**приглаше́ние в го́сти**
	プリグラシェーニェ ヴ ゴースチ

男	**гость**
	ゴースチ

男	**буке́т**
	ブキェート

男	**пода́рок**
	パダーラク

068

0671 ☐	針	needle
0672 ☐	糸	thread
0673 ☐	ミシン	sewing machine
0674 ☐	のこぎり	saw
0675 ☐	釘	nail
0676 ☐	ハンマー	hammer
0677 ☐	シャベル	shovel
0678 ☐	バラ	rose
0679 ☐	ヒマワリ	sunflower
0680 ☐	チューリップ	tulip

女 иго́лка

イゴールカ

女 нить

ニーチ

女 шве́йная маши́на

シュヴェイナヤ　マシーナ

女 пила́

ピラー

男 гво́здь

グヴォースチ

男 молото́к

マラトーク

女 лопа́та

ラパータ

女 ро́за

ローザ

男 подсо́лнечник

パトソールニチニク

男 тюльпа́н

チュリパーン

069

0681 ☐	映画	movie

0682 ☐	映画館	movie theatre

0683 ☐	演劇，劇場	theater

0684 ☐	舞台	stage

◆「場面，シーン」という意味でも使う。

0685 ☐	上演，演出	staging

0686 ☐	俳優　〖男／女〗	actor

0687 ☐	演技，演奏	performance

0688 ☐	サーカス	circus

0689 ☐	コンサート	concert

0690 ☐	クローク係　〖男／女〗	cloakroom attendant

	年 月 日		年 月 日		年 月 日	
1	/**10**	**2**	/**10**	**3**	/**10**	**69%**

男	**фи́льм**
	フィーリム

男	**кинотеа́тр**
	キナチアートル

男	**теа́тр**
	チアートル

女	**сце́на**
	スツェーナ

女	**постано́вка**
	パスタノーフカ

男/女	**актёр ╱ актри́са**
	アクチョール ╱ アクトリーサ

中	**исполне́ние**
	イスパルニェーニェ

男	**цирк**
	ツィールク

男	**конце́рт**
	カンツェールト

男/女	**гардеро́бщик ╱ гардеро́бщица**
	ガルヂェロープシク ╱ ガルヂェロープシッツァ

0691 ☐	音楽	music
0692 ☐	音楽家	musician
0693 ☐	歌	song
0694 ☐	歌手 〖男／女〗	singer
0695 ☐	指揮者	conductor
0696 ☐	オーケストラ	orchestra
0697 ☐	楽器	(musical) instrument
0698 ☐	ピアノ	piano
0699 ☐	バイオリン	violin
0700 ☐	ギター	guitar

	年 月 日		年 月 日		年 月 日	
1	╱**10**	**2**	╱**10**	**3**	╱**10**	**70 %**

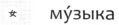

女	**му́зыка**
	ムーズィカ

男	**музыка́нт**
	ムズィカーント

女	**пе́сня**
	ピェースニャ

男/女	**певе́ц ╱ певи́ца**
	ビヴェーツ ╱ ビヴィーッァ

男	**дирижёр**
	ヂリジョール

男	**орке́стр**
	アルキェーストル

男	**музыка́льный инструме́нт**
	ムジカーリヌイ　インストルゥミェーント

中不変	**фортепиа́но**
	ファルテピヤーナ

女	**скри́пка**
	スクリープカ

女	**гита́ра**
	ギターラ

0701 ☐	芸術，美術	art

0702 ☐	文化，教養	culture

0703 ☐	博物館，美術館	museum

0704 ☐	展覧会	exhibition

0705 ☐	作品	work

◆「仕事，職場」という意味でも使う。

0706 ☐	テーマ，主題	theme

0707 ☐	コレクション，収集	collection

0708 ☐	絵画	painting

0709 ☐	画家	painter

0710 ☐	彫刻	sculpture

中	**иску́сство**
	イスクーストヴァ

女	**культу́ра**
	クリトゥーラ

男	**музе́й**
	ムジェーィ

女	**вы́ставка**
	ヴィースタフカ

女	**рабо́та**
	ラボータ

女	**те́ма**
	チェーマ

女	**колле́кция**
	カレークツィヤ

女	**карти́на**
	カルチーナ

男	**худо́жник**
	フゥドージニク

女	**скульпту́ра**
	スクゥリプトゥーラ

072

0711 ☐	写真	photograph
0712 ☐	カメラ	camera
0713 ☐	読書	reading
0714 ☐	作家	writer
0715 ☐	本	book
0716 ☐	[長編] 小説	novel
0717 ☐	雑誌	magazine
0718 ☐	漫画	comic
0719 ☐	新聞	newspaper
0720 ☐	記事，論文	article

	年 月 日		年 月 日		年 月 日	
1	／**10**	**2**	／**10**	**3**	／**10**	**72 %**

女	**фотогра́фия**
	ファタグラーフィヤ

男	**фотоаппара́т**
	フォタアパラート

中	**чте́ние**
	チチェーニエ

男	**писа́тель**
	ピサーチリ

女	**кни́га**
	クニーガ

男	**рома́н**
	ラマーン

男	**журна́л**
	ジュルナール

男	**ко́микс**
	コーミクス

女	**газе́та**
	ガジェータ

女	**статья́**
	スタチヤー

073

0721 ☐	記者，ジャーナリスト	journalist
0722 ☐	情報，報道	information
0723 ☐	事実	fact
0724 ☐	秘密，機密	secret
0725 ☐	ニュース	news

◆ 通常複数形を用いる。

0726 ☐	テレビ	television
0727 ☐	ラジオ	radio
0728 ☐	番組	program

◆「プログラム，計画」という意味でも使う。

| 0729 ☐ | 広告 | advertisement |
| 0730 ☐ | ストライキ | strike |

男	**журнали́ст**
	ジュルナリースト

女	**информа́ция**
	インファルマーツィヤ

男	**факт**
	ファークト

男	**секре́т**
	シクリェート

女／女複	**но́вость ／ но́вости**
	ノーヴァスチ ／ ノーヴァスチ

男	**телеви́зор**
	チリヴィーザル

中不変	**ра́дио**
	ラーヂオ

女	**програ́мма**
	プラグラーマ

女	**рекла́ма**
	リクラーマ

女	**забасто́вка**
	ザバストーフカ

074

| 0731 ☐ | 電話 | phone |

| 0732 ☐ | スマートフォン | smartphone |

◆「iPhone」は айфо́н, 「Android」は андро́ид。

| 0733 ☐ | デスクトップパソコン | desktop (computer) |

| 0734 ☐ | ノートパソコン | laptop (computer) |

| 0735 ☐ | インターネット | internet |

| 0736 ☐ | E メール | e-mail |

◆差し出す「メール」そのものは электро́нное письмо́〚中〛エリクトローンナエ ピシモー。

| 0737 ☐ | ログイン | login |

◆「ログアウト」は вы́ход из систе́мы〚男〛ヴィーハト イスシステーミ。

| 0738 ☐ | パスワード | password |

| 0739 ☐ | 検索 | search |

| 0740 ☐ | データ | data |

男	**телефóн**
	チリフォーン

男	**смартфóн**
	スマルトフォーン

男	**персонáльный компьютер**
	ビルサナーリヌイ　カムピューテル

男	**нóутбук**
	ノーゥドブク

男	**интернéт**
	インテルニェート

女	**электрóнная пóчта**
	エリクトローンナヤ　ポーチタ

男	**лóгин**
	ローギン

男	**парóль**
	パローリ

男	**пóиск**
	ポーイスク

複	**дáнные**
	ダーンヌィエ

0741 ☐	学校	school
0742 ☐	幼稚園	kindergarten
0743 ☐	小学校	elementary school
0744 ☐	中学校	middle school
0745 ☐	高校	high school
0746 ☐	［総合］大学	university
0747 ☐	クラス	class

◆「教室」という意味でも使う。

0748 ☐	教科書	textbook
0749 ☐	勉強	study
0750 ☐	教育，教養	education

女 шко́ла

シュコーラ

男 де́тский сад

チェーツキ　サート

女 нача́льная шко́ла

ナチャーリナヤ　シュコーラ

女 сре́дняя шко́ла

スリェードニャヤ　シュコーラ

女 сре́дняя шко́ла повы́шенной сту́пени

スリェードニャヤ　シュコーラ　パヴィーシュヌイ　ストゥービニ

男 университе́т

ウニヴィルシチェート

男 класс

クラース

男 уче́бник

ウチェーブニク

女 учёба

ウチョーバ

中 образова́ние

アブラザヴァーニエ

155

076

0751 ☐	先生　〚男／女〛	teacher
0752 ☐	教授	professor
0753 ☐	生徒　〚男／女〛	student
0754 ☐	大学生　〚男／女〛	university student
0755 ☐	寮	dormitory
0756 ☐	食堂	cafeteria

◆「ダイニングルーム」の意味でも使う。

0757 ☐	図書館	library
0758 ☐	研究	research
0759 ☐	レポート	report
0760 ☐	知識	knowledge

男/女	**учи́тель / учи́тельница**	ウチーチリ / ウチーチリニツァ
男	**профе́ссор**	プラフェーサル
男/女	**учени́к / учени́ца**	ウチニーク / ウチニーツァ
男/女	**студе́нт / студе́нтка**	ストゥヂェーント / ストゥヂェーントカ
中	**общежи́тие**	アブシシジーチェ
女	**столо́вая**	スタローヴァヤ
女	**библиоте́ка**	ビブリアチェーカ
中	**иссле́дование**	イッスリェーダヴァニエ
男	**отчёт**	アッチョート
中	**зна́ние**	ズナーニエ

157

0761 ☐	（大学の）学部	faculty
0762 ☐	専攻，専門	major
0763 ☐	授業	lesson
0764 ☐	講義，講演	lecture
0765 ☐	ゼミ，演習	seminar
0766 ☐	出席	attendance
0767 ☐	欠席，不在	absence
0768 ☐	試験	exam
0769 ☐	成績 《学業》	grade
0770 ☐	奨学金	scholarship

男	**факульте́т**
	ファクゥリチェート

女	**специа́льность**
	スピツィアーリナスチ

男	**уро́к**
	ウローク

女	**ле́кция**
	リェークツィヤ

男	**семина́р**
	シミナール

中	**прису́тствие**
	プリスーツトヴィエ

中	**отсу́тствие**
	アッツーツトヴィエ

男	**экза́мен**
	エグザーミン

女	**успева́емость**
	ウスピヴァーイマスチ

女	**стипе́ндия**
	スチピェーンヂャ

🔊 *078*

| 0771 ☐ | 発見 | discovery |

| 0772 ☐ | 結果 | result |

◆「(スポーツなどの) 成績, 成果」という意味でも使う。

| 0773 ☐ | 説明, 解釈 | explanation |

| 0774 ☐ | 練習 [問題] | exercise |

| 0775 ☐ | 質問, 疑問 | question |

| 0776 ☐ | 解答 | answer |

◆「返事」という意味でも使う。

| 0777 ☐ | 誤り, 間違い | mistake |

| 0778 ☐ | なぜ | why |

◆「いつ」は когда 〖副〗カグダー, 「どこ」は где 〖副〗グヂェー。

| 0779 ☐ | 宿題 | homework |

| 0780 ☐ | 学習 | learning |

中 **нахожде́ние**

ナハジュデーニエ

男 **результа́т**

リズゥリタート

中 **объясне́ние**

アブィスニェーニエ

中 **упражне́ние**

ウブラジュニェーニエ

男 **вопро́с**

ヴァプロース

男 **отве́т**

アトヴェート

女 **оши́бка**

アシーブカ

副 **почему́**

パチムー

中 **дома́шнее зада́ние**

ドマーシュニェ　ザダーニエ

中 **уче́ние**

ウチェーニエ

0781 ☐	化学	chemistry
0782 ☐	物理学	physics
0783 ☐	数学	mathematics
0784 ☐	法学	jurisprudence
0785 ☐	哲学	philosophy
0786 ☐	文学，文献	literature
0787 ☐	歴史	history

◆「物語」という意味でも使う。

0788 ☐	古代の	ancient
0789 ☐	中世の	medieval
0790 ☐	近代の，現代の	contemporary

女	**хи́мия**
	ヒーミヤ

女	**фи́зика**
	フィーズィカ

女	**матема́тика**
	マチマーチカ

女	**юриспруде́нция**
	ユリスプルディエンツィヤ

女	**филосо́фия**
	フィラソーフィヤ

女	**литерату́ра**
	リチラトゥーラ

女	**исто́рия**
	イストーリャ

形	**анти́чный**
	アンチーチヌイ

形	**средневеко́вый**
	スリドニヴェコーヴイ

形	**совреме́нный**
	サヴリミェーンヌイ

0791 ☐	言語，言葉	language
0792 ☐	文字	letter
0793 ☐	ロシア語	Russian
0794 ☐	日本語	Japanese
0795 ☐	英語	English
0796 ☐	外国の	foreign
0797 ☐	辞書	dictionary
0798 ☐	意味	meaning
0799 ☐	単語	word

◆「話，発言」という意味でも使う。

| 0800 ☐ | 文 | sentence |

◆「オファー，提案，プロポーズ」という意味でも使う。

男	**язы́к**
	ヤズィーク

女	**бу́ква**
	ブークヴァ

男	**ру́сский язы́к**
	ルースキイ　ヤズィーク

男	**япо́нский язы́к**
	イポーンスキイ　ヤズィーク

男	**англи́йский язы́к**
	アングリースキイ　ヤズィーク

形	**иностра́нный**
	イナストラーンヌイ

男	**слова́рь**
	スラヴァーリ

中	**значе́ние**
	ズナチェーニェ

中	**сло́во**
	スローヴァ

中	**предложе́ние**
	プリドラジェーニェ

0801 ☐	文法	grammar

0802 ☐	発音	pronunciation

0803 ☐	アクセント	accent

0804 ☐	方言	dialect

0805 ☐	例，見本	example

0806 ☐	紙	paper

0807 ☐	メモ	memo

◆「注意書き，手引書」という意味でも使う。

0808 ☐	ノート	notebook

0809 ☐	ペン	pen

0810 ☐	インク	ink

女	**грамма́тика**
	グラマーチカ

中	**произноше́ние**
	プライズナシェーニェ

中	**ударе́ние**
	ウダリェーニェ

男	**диале́кт**
	ヂアリェークト

男	**приме́р**
	プリミェール

女	**бума́га**
	ブゥマーガ

女	**па́мятка**
	パーミャトカ

女	**тетра́дь**
	チトラーチ

女	**ру́чка**
	ルーチカ

複	**черни́ла**
	チェルニーラ

0811	鉛筆	pencil

◆「シャープペンシル」は автокаранда́ш アフタカランダーシュ。

0812	消しゴム	eraser

◆「ゴム」という意味でも使う。

0813	定規	ruler

0814	はさみ	scissors

0815	職業	job

0816	責任	responsibility

0817	会社	company

0818	支部，支店	branch

0819	オフィス，事務所	office

0820	企業，事業	enterprise

男	**каранда́ш**
	カランダーシュ

男	**ла́стик**
	ラスティック

女	**лине́йка**
	リニエーィカ

複	**но́жницы**
	ノージニツィ

女	**профе́ссия**
	プラフェーシヤ

女	**отве́тственность**
	アトヴェーツトヴィンナスチ

女	**компа́ния**
	カムパーニヤ

男	**филиа́л**
	フィリアール

男	**о́фис**
	オーフィス

中	**предприя́тие**
	プリトプリヤーチェ

0821 ☐	勤め人，［事務］職員	clerk
0822 ☐	［現場］労働者	laborer
0823 ☐	公務員	government worker
0824 ☐	秘書　〚男／女〛	secretary
0825 ☐	通訳者	interpreter
0826 ☐	上司	boss
0827 ☐	同僚　〚男／女〛	colleague
0828 ☐	出張	business trip
0829 ☐	昇進	promotion

◆「上昇」という意味でも使う。

| 0830 ☐ | 定年退職 | retirement |

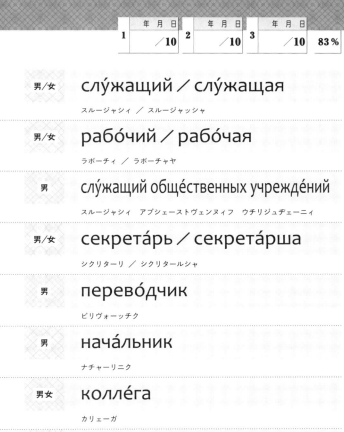

男/女	**слу́жащий ／ слу́жащая**
	スルージャシィ ／ スルージャッシャ

男/女	**рабо́чий ／ рабо́чая**
	ラボーチィ ／ ラボーチャヤ

男	**слу́жащий обще́ственных учрежде́ний**
	スルージャシィ　アブシェーストヴェンヌィフ　ウチリジュヂェーニィ

男/女	**секрета́рь ／ секрета́рша**
	シクリターリ ／ シクリタールシャ

男	**перево́дчик**
	ピリヴォーッチク

男	**нача́льник**
	ナチャーリニク

男女	**колле́га**
	カリェーガ

女	**командиро́вка**
	カマンヂローフカ

中	**повыше́ние**
	パヴィシェーニエ

男	**вы́ход на пе́нсию**
	ヴィーハト　ナ　ペーンシュ

0831 ☐	賃金	salary

0832 ☐	ボーナス	bonus

0833 ☐	支払い	payment

0834 ☐	休憩	break

◆「中断，休止」という意味でも使う。

0835 ☐	会議	meeting

0836 ☐	問題，難題	problem

0837 ☐	理由，原因	reason

0838 ☐	意見	opinion

0839 ☐	批評，批判	criticism

0840 ☐	決定，決心	decision

◆「解決」という意味でも使う。

女 зарпла́та

ザルプラータ

複 премиа́льные

プレミアーリヌイエ

男 платёж

プラチョーシュ

男 переры́в

ピリルィーフ

中 собра́ние

サブラーニェ

女 пробле́ма

プラブリェーマ

女 причи́на

プリチーナ

中 мне́ние

ムニェーニェ

女 кри́тика

クリーチカ

中 реше́ние

リシェーニェ

0841 ☐	書類，文書	document

0842 ☐	確認	confirmation

0843 ☐	交渉	negotiation

0844 ☐	合意，同意	agreement

◆「協定」という意味でも使う。

0845 ☐	契約，契約書	contract

0846 ☐	署名，サイン	signature

0847 ☐	利益	profit

0848 ☐	投資	investment

0849 ☐	利子，利息	interest

◆「パーセント」という意味でも使う。

0850 ☐	経済	economy

	年 月 日		年 月 日		年 月 日	
1	／**10**	**2**	／**10**	**3**	／**10**	**85 %**

男	**докуме́нт**
	ダクゥミェーント

中	**подтвержде́ние**
	パットヴィルジチェーニエ

複	**перегово́ры**
	ビリガヴォールィ

中	**соглаше́ние**
	サグラシェーニエ

男	**контра́кт**
	カントラークト

女	**по́дпись**
	ポートピシ

女	**при́быль**
	プリーブィリ

女	**инвести́ция**
	インヴィスチーツィヤ

男	**проце́нт**
	プラツェーント

女	**эконо́мика**
	エカノーミカ

0851 ☐	輸入	import
0852 ☐	輸出	export
0853 ☐	取引	transaction
	◆「契約」という意味でも使う。	
0854 ☐	工業，産業	industry
0855 ☐	天然ガス	natural gas
0856 ☐	石油	petroleum
0857 ☐	石炭	coal
	◆「木炭」という意味でも使う。	
0858 ☐	鉄	iron
0859 ☐	鉄鋼，スチール	steel
0860 ☐	プラスチック	plastic

	年 月 日		年 月 日		年 月 日	
1	／**10**	**2**	／**10**	**3**	／**10**	**86 %**

男	**и́мпорт**
	イムパルト

男	**э́кспорт**
	エクスパルト

女	**сде́лка**
	ズヂェールカ

女	**промы́шленность**
	プラムィーシリンナスチ

男	**приро́дный га́з**
	プリロードヌイ　ガース

女	**нефть**
	ニェーフチ

男	**у́голь**
	ウーガリ

中	**желе́зо**
	ジリェーザ

女	**сталь**
	スターリ

男	**пла́стик**
	プラースチク

0861 ☐	工場	plant
0862 ☐	商品，品物	goods
0863 ☐	サンプル，見本	sample
0864 ☐	質，品質	quality
0865 ☐	エンジニア	engineer
0866 ☐	農家	farmer
0867 ☐	漁師，釣り人	fisherman
0868 ☐	大工	carpenter
0869 ☐	伝統，慣例	tradition
0870 ☐	名人，達人	master

男 **завóд**

ザヴォート

男 **товáр**

タヴァール

男 **образéц**

アブラジェーツ

中 **кáчество**

カーチストヴァ

男 **инженéр**

インジニェール

男 **фéрмер**

フィエルメル

男 **рыбáк**

ルィバーク

男 **плóтник**

プロートニク

女 **традúция**

トラディーツィヤ

男 **мáстер**

マーステル

0871 ☐	宗教	religion

◆「ロシア正教」は правосла́вие〘中〙プラヴァスラーヴィエ。

0872 ☐	キリスト教	Christianity

◆「洗礼」は креще́ние〘中〙クリシェーニェ。

0873 ☐	イスラム教	Islam

0874 ☐	仏教	Buddhism

0875 ☐	聖書	bible

0876 ☐	聖職者，司祭	priest

0877 ☐	神 ／ 女神	God／Goddess

0878 ☐	世界	world

◆「地球，宇宙」という意味でも使う。

0879 ☐	国，国家	country

0880 ☐	国民，民衆	people

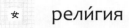

| 女 | **рели́гия** |
| | リリーギャ |

| 中 | **христиа́нство** |
| | フリスチアーンストヴァ |

| 男 | **исла́м** |
| | イスラーム |

| 男 | **будди́зм** |
| | ブッジーズム |

| 女 | **би́блия** |
| | ビーブリャ |

| 男 | **свяще́нник** |
| | スヴェシェーンニク |

| 男/女 | **бог ／ боги́ня** |
| | ボーフ ／ バギーニャ |

| 男 | **мир** |
| | ミール |

| 女 | **страна́** |
| | ストラナー |

| 男 | **наро́д** |
| | ナロート |

0881 ☐	国家	nation

0882 ☐	国籍	nationality

0883 ☐	住民，住人	inhabitant

0884 ☐	人口	population

0885 ☐	首都	capital

◆「モスクワ」は Москва〔女〕モスクヴァー。

0886 ☐	都市，都会	city

0887 ☐	村	village

◆「農村，田舎」という意味でも使う。

0888 ☐	国境	border

0889 ☐	領土	territory

0890 ☐	母国	homeland

中 **госуда́рство**

ガスダールストヴァ

中 **гражда́нство**

グラジュダーンストヴァ

男 **жи́тель**

ジーチリ

中 **населе́ние**

ナシリェーニェ

女 **столи́ца**

スタリーツァ

男 **го́род**

ゴーラト

女 **дере́вня**

ヂリェーヴニャ

女 **грани́ца**

グラニーツァ

女 **террито́рия**

チリトーリヤ

女 **ро́дина**

ローヂナ

0891		
☐	日本	Japan

◆「日本人」は япо́нец ／ япо́нка〚男／女〛イポーニツ／イポーンカ。

0892		
☐	ロシア ；ロシア連邦	Russia

0893		
☐	アメリカ ；アメリカ合衆国	The U.S.

0894		
☐	中国 ；中華人民共和国	China

0895		
☐	ヨーロッパ	Europe

0896		
☐	共和国	republic

0897		
☐	政治，政策	politics

0898		
☐	政府	government

0899		
☐	国会，議会	parliament

0900		
☐	政党，党派	political party

	年 月 日		年 月 日		年 月 日	
1	/**10**	**2**	/**10**	**3**	/**10**	**90 %**

女 **Япóния**

イポーニャ

女 **Россия ; Российская Федерáция**

ラッシーヤ ； ラッシースカヤ フィヂラーツィヤ

女 **Амéрика ; США**

アミェーリカ ； セーシェーアー

男 **Китáй ; КНР**

キターィ ； カーェネール

女 **Еврóпа**

イヴローパ

女 **респýблика**

リスプーブリカ

女 **политика**

パリーチカ

中 **правительство**

プラヴィーチリストヴァ

男 **парлáмент**

パルラーミント

女 **пáртия**

パールチヤ

0901 ☐	民主主義	democracy

0902 ☐	社会主義	socialism

0903 ☐	共産主義	communism

0904 ☐	資本主義	capitalism

0905 ☐	法，法律	law

◆「権利」という意味でも使う。

0906 ☐	憲法	constitution

0907 ☐	社会	society

0908 ☐	選挙	election

◆ 単数形 выбор 〚男〛 ヴィーバル は「選択」の意味。

0909 ☐	候補者	candidate

0910 ☐	投票	vote

女	**демокра́тия**
	ヂマクラーチャ

男	**социали́зм**
	サツィアリーズム

男	**коммуни́зм**
	コムニーズム

男	**капитали́зм**
	カピタリーズム

中	**пра́во**
	プラーヴァ

女	**конститу́ция**
	カンスチトゥーツィヤ

中	**о́бщество**
	オープシストヴァ

男複	**вы́боры**
	ヴィーバルィ

男	**кандида́т**
	カンヂダート

中	**голосова́ние**
	ガラサヴァーニェ

092

| 0911 ☐ | 大統領，社長 | president |

| 0912 ☐ | 首相，総理大臣 | prime minister, premier |

◆ 省略形は премьéр プリミィエール。

| 0913 ☐ | 大臣 | minister |

| 0914 ☐ | 議員 | representative |

| 0915 ☐ | 権力，当局 | authority |

◆「政権」という意味でも使う。

| 0916 ☐ | 支配 | control |

| 0917 ☐ | 革命 | revolution |

| 0918 ☐ | 宣言，布告 | declaration |

| 0919 ☐ | 独立 | independence |

| 0920 ☐ | 自由 | freedom |

	年 月 日		年 月 日		年 月 日	
1	/**10**	**2**	/**10**	**3**	/**10**	**92%**

男	**президе́нт**
	プリジヂェーント

男	**премье́р-мини́стр**
	プリミィエール　ミニーストル

男	**мини́стр**
	ミニーストル

男	**депута́т**
	ヂェプタート

女	**власть**
	ヴラースチ

中	**госпо́дство**
	ガスポーットヴァ

女	**револю́ция**
	リヴァリューツィヤ

女	**деклара́ция**
	ヂクララーツィヤ

女	**незави́симость**
	ニザヴィーシマスチ

女	**свобо́да**
	スヴァボーダ

0921 ☐	理想	ideal
0922 ☐	現実	reality
0923 ☐	希望	hope
0924 ☐	絶望	despair
0925 ☐	可能性，機会	possibility
0926 ☐	努力	effort
0927 ☐	忍耐，我慢	patience
0928 ☐	勇気	bravery
0929 ☐	成功，成果	success
0930 ☐	失敗，不成功	failure

	年 月 日		年 月 日		年 月 日	
1	／**10**	**2**	／**10**	**3**	／**10**	**93%**

男	**идеа́л**
	イヂアール

女	**реа́льность**
	リアーリナスチ

女	**наде́жда**
	ナヂェージダ

中	**отча́яние**
	アッチャーヤニェ

女	**возмо́жность**
	ヴァズモージナスチ

中	**уси́лие**
	ウシーリェ

中	**терпе́ние**
	チルビェーニェ

女	**хра́брость**
	フラーブラスチ

男	**успе́х**
	ウスビェーフ

女	**неуда́ча**
	ニウダーチャ

094

0931 ☐	幸福，幸せ	fortune

◆「幸運」は удáча 〚女〛 ウダーチャ。

0932 ☐	不幸，不運	misfortune

0933 ☐	安全な	safe

0934 ☐	危険な	dangerous

0935 ☐	大災害，惨事	catastrophe

0936 ☐	地震	earthquake

0937 ☐	台風	typhoon

0938 ☐	洪水，水害	flood

◆「津波」は цунáми 〚中不変〛 ツナーミ。

0939 ☐	火事	fire

0940 ☐	消防車	fire truck

中 **счáстье**

シャースチェ

中 **несчáстье**

ニッシャースチェ

形 **безопáсный**

ビザパースヌイ

形 **опáсный**

アパースヌイ

女 **катастрóфа**

カタストローファ

中 **землетрясéние**

ジムリトリシェーニェ

男 **тайфýн**

タイフーン

中 **наводнéние**

ナヴァドニェーニェ

男 **пожáр**

パジャール

女 **пожáрная маши́на**

パジャールナヤ　マシーナ

095

0941 ☐	事件	incident

0942 ☐	事故	accident

0943 ☐	テロ	terrorism

0944 ☐	爆発	explosion

0945 ☐	犯罪	crime

0946 ☐	犯罪人	criminal

0947 ☐	殺人	murder

0948 ☐	泥棒	thief

◆「強盗」は ограбле́ние〚中〛アグラブレーニエ。

0949 ☐	警察	police

0950 ☐	警察官	police officer

194

	年 月 日		年 月 日		年 月 日	
1	／**10**	**2**	／**10**	**3**	／**10**	**95 %**

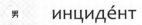

男 **инциде́нт**

インツィヂェーント

女 **ава́рия**

アヴァーリャ

男 **терро́р**

チロール

男 **взрыв**

ヴズルィーフ

中 **преступле́ние**

プリストゥプリェーニェ

男 **престу́пник**

プリストゥーブニク

中 **уби́йство**

ウビーイストヴァ

男 **вор**

ヴォール

女 **поли́ция**

パリーツィヤ

男 **полице́йский**

パリツェーィスキィ

195

096

0951 ☐	戦争	war
0952 ☐	軍，軍隊	army
0953 ☐	兵士，軍人	soldier
0954 ☐	兵器，武器	weapon
0955 ☐	死者	the dead
0956 ☐	犠牲者	victim
0957 ☐	避難民，難民	refugee
0958 ☐	困難	difficulty
0959 ☐	貧困，貧乏	poverty
0960 ☐	不足，欠損	deficit

◆「赤字」という意味でも使う。

女	**война́**
	ヴァイナー

女	**а́рмия**
	アールミヤ

男	**солда́т**
	サルダート

中	**ору́жие**
	アルージェ

男	**поги́бший**
	パギーブシィ

女	**же́ртва**
	ジェールトヴァ

男	**бе́женец**
	ベージェニェツ

女	**тру́дность**
	トルゥードナスチ

女	**бе́дность**
	ビェードネスチ

男	**дефици́т**
	ヂフィツィート

0961	裁判所，法廷	court

◆「判決」を指すこともある。

0962	検察官，検事	prosecutor

0963	弁護士	lawyer

0964	有罪の	guilty

◆「無罪の」は невино́вный 〖形〗ニヴィノーヴヌィイ。

0965	形，形式	form

0966	サイズ，大きさ	size

0967	丸い	round

◆「丸々とした」という意味でも使う。

0968	円 《図形》	circle

0969	三角形	triangle

0970	正方形	square

◆「四角い」は квадра́тный 〖形〗クヴァドラートヌィイ。

男	**суд**
	スゥート

男	**прокуро́р**
	プロクロール

男	**адвока́т**
	アドヴァカート

形	**вино́вный**
	ヴィノーヴヌィイ

女	**фо́рма**
	フォールマ

男	**разме́р**
	ラズミェール

形	**кру́глый**
	クルーグルィイ

男	**круг**
	クルーク

男	**треуго́льник**
	トリウゴーリニク

男	**квадра́т**
	クヴァドラート

0971 ☐	計算	calculation

0972 ☐	数，番号	number

◆ 数字の表現は p.208 ～ 209 を参照。

0973 ☐	合計，総数	sum

0974 ☐	平均的な	average

◆「中央の，中間値」という意味でも使う。

0975 ☐	半分，2分の1，30分	half

0976 ☐	4分の1，15分	quarter

0977 ☐	差，違い	difference

0978 ☐	余り，残り	remainder

0979 ☐	身長	height

◆「成長」という意味でも使う。

0980 ☐	体重，重さ	weight

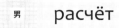

男	**расчёт**
	ラショート

中	**число́**
	チスロー

女	**су́мма**
	スーンマ

形	**сре́дний**
	スリェードニイ

女	**полови́на**
	パラヴィーナ

女	**че́тверть**
	チェートヴィルチ

女	**ра́зница**
	ラーズニツァ

男	**оста́ток**
	アスタータク

男	**рост**
	ロースト

男	**вес**
	ヴェース

099

0981 □ **メートル** meter

◆「センチメートル」は сантиме́тр〚男〛サンチミェートル。

0982 □ **グラム** gram

◆「キログラム」は килогра́мм〚男〛キラグラーム。

0983 □ **リットル** liter

◆「ミリリットル」は миллили́тр〚男〛ミリリートル。

0984 □ **高い** high

◆「(値段が)高い」は дорого́й〚形〛ダラゴーイ。

0985 □ **低い** low

◆「安い」は дешёвый〚形〛ヂショーヴィ。

0986 □ **重い** heavy

0987 □ **軽い** light

0988 □ **大きい，多い** big, large

0989 □ **小さい，少ない** small, little

0990 □ **かわいい，愛しい** cute

男	**метр**
	ミェートル

男	**грамм**
	グラーム

男	**литр**
	リートル

形	**высо́кий**
	ヴィソーキイ

形	**ни́зкий**
	ニースキイ

形	**тяжёлый**
	チェジョールイ

形	**лёгкий**
	リョーフキイ

形	**большо́й**
	バリショーイ

形	**ма́ленький**
	マーリンキイ

形	**ми́лый**
	ミールイ

0991 ☐	長い	long

0992 ☐	短い	short

0993 ☐	（幅が）広い	wide

0994 ☐	（幅が）狭い	narrow

◆「（衣服などが）きつい」という意味でも使う。

0995 ☐	おいしい	delicious

◆「よい（素晴らしい）」は хоро́ший 〖形〗 ハローシイ。

0996 ☐	まずい	not delicious, bad

◆「悪い」は плохо́й 〖形〗 プラホーイ。

0997 ☐	甘い	sweet

0998 ☐	しょっぱい	salty

0999 ☐	すっぱい	sour

1000 ☐	苦い	bitter

◆「つらい」という意味でも使う。

形	**дли́нный**
	ドリーンヌイ

形	**коро́ткий**
	カロートキイ

形	**широ́кий**
	シローキイ

形	**у́зкий**
	ウースキイ

形	**вку́сный**
	フクースヌイ

形	**невку́сный**
	ニフクースヌイ

形	**сла́дкий**
	スラートキイ

形	**солёный**
	ソリョーヌイ

形	**ки́слый**
	キースルィイ

形	**го́рький**
	ゴーリキイ

101

●月と曜日，時の言い方●

1月	男	янва́рь	インヴァーリ
2月	男	февра́ль	フィヴラーリ
3月	男	март	マールト
4月	男	апре́ль	アプリェーリ
5月	男	май	マーィ
6月	男	ию́нь	イユーニ
7月	男	ию́ль	イユーリ
8月	男	а́вгуст	アーヴグスト
9月	男	сентя́брь	シンチャーブリ
10月	男	октя́брь	アクチャーブリ
11月	男	ноя́брь	ナヤーブリ
12月	男	дека́брь	ヂカーブリ

103

先月	男	про́шлый ме́сяц プローシュルイ　ミェーシィツ
来月 来年	男	сле́дующий ме́сяц スリェードゥユッシイ　ミェーシィツ сле́дующий год スリェードゥユッシイ　ゴート
毎日 毎月 毎年	男	ка́ждый день カージュドィイ　ヂェーニ ка́ждый ме́сяц カージュドィイ　ミェーシィツ ка́ждый год カージュドィイ　ゴート

月曜日	男	понеде́льник	パニヂェーリニク
火曜日	男	вто́рник	フトールニク
水曜日	女	среда́	スリダー
木曜日	男	четве́рг	チトヴェールク
金曜日	女	пя́тница	ピャートニツァ
土曜日	女	суббо́та	スボータ
日曜日	中	воскресе́нье	ヴァスクリシェーニエ

今週	女	э́та неде́ля エータ ニヂェーリャ
先週	女	про́шлая неде́ля プローシュリャ ニヂェーリャ
来週	女	сле́дующая неде́ля スリェードゥユシャヤ ニヂェーリャ
週末	男	коне́ц неде́ли カニェーツ ニヂェーリ
今月 今年	男	э́тот ме́сяц エータト ミェーシィツ э́тот год エータト ゴート
昨年	男	про́шлый год プローシュルイ ゴート
昨晩	男	вчера́ ве́чером フチラー ヴェーチラム
毎朝	中	ка́ждое у́тро カージュダエ ウートラ

105

● 数字の言い方 ●

0	男 ноль	ノーリ
1	男 оди́н　女 одна́ 中 одно́　複 одни́	アヂーン ／ アドナー アドノー ／ アドニー
2	男・中 два　女 две	ドヴァー ／ ドヴェー
3	три	トリー
4	четы́ре	チティーリ
5	пять	ピャーチ
6	шесть	シェースチ
7	семь	シェーミ
8	во́семь	ヴォーシミ
9	де́вять	ヂェーヴィチ
10	де́сять	ヂェーシィチ
11	оди́ннадцать	アヂーンナッツァチ
12	двена́дцать	ドヴィナーッツァチ
13	трина́дцать	トリナーッツァチ
14	четы́рнадцать	チティールナッツァチ
15	пятна́дцать	ピトナーッツァチ
16	шестна́дцать	シスナーッツァチ
17	семна́дцать	シムナーッツァチ
18	восемна́дцать	ヴァシムナーッツァチ
19	девятна́дцать	ヂヴィトナーッツァチ
20	два́дцать	ドヴァーッツァチ
21	два́дцать оди́н	ドヴァーッツァチ　アヂーン

30	три́дцать	トリーッツァチ
40	со́рок	ソーラク
50	пятьдеся́т	ピッヂシャート
60	шестьдеся́т	シッヂシャート
70	се́мьдесят	シェーミヂシャト
80	во́семьдесят	ヴォーシミヂシャト
90	девяно́сто	ヂヴァノースタ
100	сто	ストー
200	две́сти	ドヴェースチ
300	три́ста	トリースタ
400	четы́реста	チェティーリスタ
500	пятьсо́т	ピッツォート
600	шестьсо́т	シッソート
700	семьсо́т	シムソート
800	восемьсо́т	ヴァセムソート
900	девятьсо́т	ヂヴァッツォート
1000	☆ ты́сяча	ティーシャチャ
1万	де́сять ты́сяч	ヂェーシャチ ティーシャチ
10万	сто ты́сяч	ストー ティーシャチ
100万	男 миллио́н	ミリオーン
1000万	де́сять миллио́нов	ヂェーシャチ ミリオーナフ
1億	сто миллио́нов	ストー ミリオーナフ
10億	男 миллиа́рд	ミリアールト

● 形容詞格変化例 ●

単数	主格	生格 (属格)	与格	対格	造格 (具格)	前置格
男性	но́в|ый (新しい)	–ого	–ому	–ого	–ым	–ом
女性	но́в|ая	–ой	–ой	–ую	–ой	–ой
中性	но́в|ое	–ого	–ому	–ое	–ым	–ом
複数	но́в|ые	–ых	–ым	–ые	–ыми	–ых

● 名詞格変化例 ●

〈**男性**〉

単数					
主格	生格 (属格)	与格	対格	造格 (具格)	前置格
стол (机)	–а́	–у́	–	–о́м	–е́
эта́ж (階)	–а́	–у́	–	–о́м	–е́
музе́|й (博物館)	–я	–ю	–й	–ем	–е
учи́тел|ь (教師)	–я	–ю	–ь	–ем	–е
複数					
стол|ы́	–о́в	–а́м	–	–а́ми	–а́х
этаж|и́	–е́й	–а́м	–	–а́ми	–а́х
музе́|и	–ев	–ям	–	–ями	–ях
учител|я́	–е́й	–я́м	–е́й	–я́ми	–я́х

〈女性〉

単数

主格	生格 (属格)	与格	対格	造格 (具格)	前置格
шко́л|**а** (学校)	–ы	–е	–у	–ой	–е
кни́г|**а** (本)	–и	–е	–у	–ой	–е
неде́л|**я** (週)	–и	–е	–ю	–ей	–е
а́рм|**и**|**я** (軍隊)	–и	–и	–ю	–ей	–и
ноч|**ь** (夜)	–и	–и	–	–ью	–и

複数

шко́л|ы	школ	–ам	–	–ами	–ах
кни́г|и	книг	–ам	–	–ами	–ах
неде́л|и	–ь	–ям	–	–ями	–ях
а́рми|и	–й	–ям	–	–ями	–ях
но́чи	–е́й	–а́м	–	–а́ми	–а́х

〈中性〉

単数

主格	生格 (属格)	与格	対格	造格 (具格)	前置格
окн|**о́** (窓)	–а́	–у́	–	–о́м	–е́
по́л|**е** (野原)	–я	–ю	–	–ем	–е
пе́ни|**е** (歌唱)	–я	–ю	–	–ем	–и
вре́м|**я** (時間)	–ени	–ени	–	–енем	–ени

複数

о́кн|а	о́кон	–ам	–	–ами	–ах
по́л|я	–е́й	–я́м	–	–я́ми	–я́х
пе́ни|я	–й	–ям	–	–ями	–ях
врем|ена́	–ён	–ена́м	–	–ена́ми	–ена́х

● 索引 ●

220

【ロシア語校正】

清水 陽子

【音声吹き込み】

Allita Nagornaia

© Goken Co.,Ltd., 2023, Printed in Japan

厳選ロシア語日常単語

2023 年 7 月 10 日　初版第 1 刷発行

編　者	語研編集部
制　作	ツディブックス株式会社
発行者	田中　稔
発行所	株式会社 語研
	〒 101-0064
	東京都千代田区神田猿楽町 2-7-17
	電　話 03-3291-3986
	ファクス 03-3291-6749
組　版	ツディブックス株式会社
印刷·製本	倉敷印刷株式会社

ISBN978-4-87615-399-2 C0087

書名　ゲンセンロシアゴニチジョウタンゴ
編者　ゴケンヘンシュウブ
著作者および発行者の許可なく転載·複製することを禁じます。

定価はカバーに表示してあります。
乱丁本，落丁本はお取り替えいたします。

本書の感想は
スマホから↓

株式会社語研
語研ホームページ https://www.goken-net.co.jp/